Marie Curie

Marie Curie

Gisèle Collignon

marabout mademoiselle

© 1955 and 1964, by Éditions GÉRARD & Cᵒ, Verviers.

Photo page 4 de couverture : photo Roger Viollet.

● Les collections Marabout sont éditées et imprimées par GÉRARD & Cᵒ, 65, rue de Limbourg, VERVIERS (Belgique). ● Le label Marabout, les titres et la présentation des volumes sont déposés conformément à la loi. ● Correspondant général à **Paris : L'INTER**, 118, rue de Vaugirard, Paris VIᵉ. ● Gérant exclusif et distributeur général pour les **Amériques :** D. KASAN, 226, EST, Christophe Colomb, Québec - P. Q., Canada. ● Distributeur en **Suisse :** Éditions SPES, 1, rue de la Paix, Lausanne.

1

Une étudiante
entre mille...

       S'il est entendu que la France accueille bien, encore le fait-elle parfois avec un goût excessif de l'exubérance. C'est du moins ce que, très visiblement, pense une jeune fille entrée l'instant d'avant dans les locaux de la Sorbonne et dont l'innocente question : « Pardon, messieurs, pourriez-vous me dire où l'on s'inscrit ? » a soulevé parmi le groupe d'étudiants ainsi abordés un rire moqueur et quelques réflexions impertinentes.

Du genre :

— Pour une fille polie, c'est une fille polie !

— Mes respects, mademoiselle !

— Dites donc, vous ne voulez pas m'apprendre à rouler les « r » comme vous le faites ?

— Chez quel droguiste de première classe achetez-vous l'eau oxygénée avec laquelle vous rincez vos cheveux adorables ?

Taquineries pas bien méchantes, et auxquelles plus d'une Parisienne répondrait du tac au tac, mais qui ont le don de mettre la « nouvelle » mal à l'aise. Elle veut passer outre.

— Pardon... Pardon... murmure-t-elle.

C'est vrai qu'elle roule les « r ». La voix est aussi légèrement voilée. Tout de suite on devine l'étrangère. L'étrangère venue d'un pays de l'Est : Russie... Pologne... Hongrie peut-être... Il est vrai que ses cheveux sont d'un blond étonnant. Même roulés sur la nuque, leur éclat ne passe pas inaperçu. En elle, le type slave s'affirme avec force : un quelque chose de bizarre dans la forme du visage, une sensation de robustesse qui n'a pas besoin de couleur ou de muscles pour transparaître. Et naturellement, des yeux qui charment sur la seconde.

Le charme cependant est plutôt inefficient dans la situation présente.

Jamais l'illustre école n'a paru contenir tant de monde qu'en cette fin d'octobre de 1891. De mémoire d'homme, on ne s'est bousculé à proximité des guichets d'inscription comme cette année-là. Il est vrai que la Sorbonne est en train de faire peau neuve et que les travaux dont on a prévu l'achèvement pour le début de l'automne sont à peine entamés. Depuis des mois, d'énormes échafaudages enlaidissent la façade. On entre, espérant qu'à l'intérieur... Mais non ! A l'intérieur, c'est pis : partout des planches poussiéreuses, du ciment, des sacs de jute, des cloisons cloutées comme des lits de fakirs et qui rétrécissent les couloirs au point que les étudiants doivent jouer des coudes pour atteindre les « amphis » ou les « labos ».

Cet état de choses, pourtant, n'ennuie pas tout le monde. Le débraillé du décor s'ajoutant à l'animation habituelle des jours de rentrée inspire les chahuteurs professionnels. Postés aux endroits névralgiques, ceux-ci, bien entendu, s'attaquent aux « bleus », ou épient les filles.

C'est dans un groupe de cette espèce qu'en toute candeur la jeune étrangère est allée buter.

Elle a cessé de dire : « Pardon... Pardon... ». Elle préfère se taire, non pas parce qu'elle est gourde, mais parce que son français hésite au bord des lèvres. D'un mouvement brusque qui fait onduler sa longue jupe plissée, elle tourne le dos à la bande de chahuteurs.

— Oooh... la meuchante !...

Les chahuteurs jouent, bien entendu, les cœurs brisés.

C'eût été la fin de la scène si, à ce moment-là, un grand dadais dont le visage s'ornait d'une imposante paire de moustaches cosmétiquées n'avait eu un geste maladroit. Rattrapant l'étrangère en une enjambée, il s'exclame : « Hé, non... Pas comme ça ! » et, tendant la main vers sa serviette, la lui arrache pour la laisser tomber sur le carrelage poussiéreux.

Quelques rires encore, mais gênés. Gênés par la muflerie du gars, gênés surtout par le regard méprisant de la jeune fille. Dix petits « messieurs » voudraient bien se baisser pour ramasser la vieille serviette de cuir noir craqué, mais aucun n'ose. C'est tout à fait en dehors des mœurs estudiantines. Intérieurement, ils fulminent contre le maladroit qui les a mis dans cette situation idiote : cela crève les yeux, voyons, que la « nouvelle » est plutôt fière, pis, hautaine ; on ne s'attaque pas à cette race-là...

Ils auraient été bien surpris s'ils avaient pu lire dans le cœur de la fille de « cette race-là ». En réalité, l'étrangère fait un réel effort pour ne pas pleurer. Quoi ! donner ce ridicule spectacle ici, dans le temple du savoir universel, non, jamais ! Mais ramasser sa serviette, s'humilier devant une bande de malappris, lui arrache, en son for intérieur, le même cri : non, jamais non plus !

Il n'y aura donc personne ?... Hélas, trop de monde se bouscule dans les couloirs ! C'est à peine si, dans le hall, un silence admiratif salue pendant trois secondes le passage d'un maître. Alors, les initiés donnant un coup de coude aux « bleus » soufflent : « C'est Appell... », « C'est Lippmann... », « C'est Bouty... ». Et des regards suivent les illustres savants avec cette lueur qu'ont les midinettes mises soudain en présence d'une vedette de théâtre ou d'une étoile de Paris.

Ce regard, une grande et forte fille habillée avec un manque évident de goût, ne l'a pourtant pas. Arrêtée dans le même couloir que l'étrangère, mais pour une autre raison — elle lisait l'affiche blanche collée au mur :

REPUBLIQUE FRANÇAISE
Faculté des sciences — Premier semestre
Les cours s'ouvriront à la Sorbonne le 3 novembre 1891, etc., etc...

La scène ne lui a pas échappé. D'abord, elle a souri. Etudiante de seconde, elle connaît le groupe et la portée relative de ses plaisanteries. Mais le coup de la serviette l'a fait sourciller. « C'est grotesque » pense-t-elle, et maintenant l'attitude embarrassée des gars la met hors d'elle.

Elle empoigne son parapluie déposé contre le mur. La seconde d'après, dressée devant le groupe, plutôt menaçante : « Mon petit Ernest, ordonne-t-elle, je te conseille vivement de restituer son bien à cette enfant, sinon... » Et comme l'autre fait mine de se rebiffer, pan ! un coup de parapluie sur son crâne l'avertit que c'est sérieux.

— La Dydynska se fâche !... la Dydynska se fâche !...

Jusqu'au fond du couloir la nouvelle se répand comme

une traînée de poudre. Là où il y avait dix étudiants un instant auparavant, il y en a maintenant vingt, trente, cinquante qui tous veulent « voir ça ».

Mais il n'y aura rien à voir. Celle qu'on appelle la Dydynska semble jouir d'une certaine autorité sur le groupe. Le petit jeune homme à moustaches ramasse sagement la serviette de cuir et les autres la rendent à sa propriétaire avec des « Vous savez, c'est un toquard ! », « Faites pas attention, on vous aime quand même bien ! », et un tas de phrases du même genre qui se perdent dans le brouhaha général. Mais déjà la redresseuse de torts entraîne sa protégée.

— En somme, qu'est-ce qu'ils vous voulaient ?

— Je l'ignore ; j'ai demandé où l'on s'inscrit et...

Pas moyen d'en dire davantage. La Dydynska vient de la saisir par le bras et s'exclame :

— Vous, votre accent vous trahit. Vous êtes Polonaise ? Comme moi ! Nous sommes compatriotes...

— Je le sais, répond calmement l'étrangère. Vous aussi, votre accent vous trahit.

— Eh bien, alors, si vous le voulez, nous parlerons notre langue ?

A sa vive stupéfaction, la « nouvelle » fait non de la tête.

— Vous refusez ?

— Non, ce n'est pas cela, mais je veux apprendre le français à fond.

La Dydynska n'a plus qu'à précéder sa protégée dans une des files que le zèle des employés ne parvient pas à réduire. Après une longue attente, mais qui paraît moins longue aux deux étudiantes parce que, même quand on ne veut pas parler la langue du pays, on parle tout de même du pays, c'est enfin leur tour.

Dydynska passe la première. Et après, c'est le rituel :

— Votre nom, Mademoiselle ?

— Marie Sklodowska.

— Comment ?

— Marie Sklodowska.

C'est-à-dire encore un nom qu'un honnête Français ne peut ni prononcer ni écrire. Aucune remarque désobligeante ne passe les lèvres de l'employé, mais son regard est plus qu'éloquent.

— Cela fait le centième, ce matin ! se contente-t-il de grommeler.

Depuis combien d'heures n'est-il pas derrière ce guichet sans connaître un instant de trêve ? Tendant sa plume à la jeune fille, il pose l'index sur une ligne du gros registre tout en lui imprimant un mouvement de rotation.

— Tenez ! dit-il, ce sera plus simple. Inscrivez-vous vous-même.

■

Et c'est ainsi que tour à tour chahutée, délivrée, puis de nouveau bousculée et houspillée, celle qui sera plus tard Marie Curie fit son entrée dans la plus célèbre école du monde, dans cette école où le Tout-Paris allait s'écraser un jour pour l'entendre donner son premier cours, ce cours qu'elle commencera par la phrase :

« Lorsqu'on envisage les progrès qui ont été accomplis en physique depuis une dizaine d'années, on est surpris du mouvement qui s'est produit dans nos idées sur l'électricité et la matière... »

La phrase par laquelle son mari, mort tragiquement peu de temps auparavant, avait cessé son propre exposé...

2

« L'atteindre
coûte que coûte... »

M. S.

Pour le moment, Marie Skłodowska
n'est qu'une jeune fille qui découvre Paris. Du haut de
l'impériale de l'omnibus qui la ramène chez sa sœur
Bronia, mariée au docteur Casimir Dluski, où elle a
pris logement, Marie regarde avec avidité des rues pourtant quelconques. Ce n'est pas le Paris des rois, ni même celui des touristes qu'on traverse pour se rendre de
la Sorbonne à La Villette, où habitent les Dluski. Mais
pour la jeune étudiante venue de sa lointaine Pologne,
tout est beau parce que tout est libre. Il y a huit jours
seulement qu'elle se trouve en France, cela lui a suffi
pour se griser d'indépendance.

Marie sourit aux demeures « Haussmann » de la rue
Lafayette. Elle ne pense pas : « A Varsovie, c'est
mieux ! », elle se revoit trop objectivement pour cela
dans un pays occupé par les Russes du Tsar, dans un
pays où le mot « polonais » est un mot méprisable, un

mot qu'il ne faut pas prononcer. Elle se revoit aussi chez les riches bourgeois où pendant six ans elle a enseigné l'histoire, les mathématiques, les sciences naturelles, le russe à des gosses souvent paresseux et grognons. Et elle compare. La voici maintenant chez sa sœur, avec très peu d'argent, avec beaucoup d'espoir. Avec la joie enfin d'être une véritable étudiante et de pouvoir apprendre d'une façon méthodique, rationnelle, tout ce qu'elle désire savoir.

Sa soif de savoir est grande. A la Sorbonne, la jeune Marie Sklodowska est installée au premier rang, attentive, prenant des notes sans arrêt. Et chez elle, c'est-à-dire chez sa sœur, la lampe reste allumée tous les soirs jusque passé minuit.

Parfois, il arrive que son beau-frère, le docteur Dluski, vienne l'interrompre dans son travail :

— Ce soir, pas de bouquins ! Nous allons tous au théâtre.

Mais Marie lève un œil absent sur son compatriote. Théâtre ? A quoi bon ? Ses livres ne sont-ils pas plus intéressants ?

Malheureusement, elle ne peut refuser chaque fois. Et un mardi :

— Aujourd'hui, il faut que tu viennes avec nous. Ta présence est indispensable !

Dluski se fait pressant. Il bouscule la petite, ferme ses livres d'autorité...

— Casimir, voyons !...

— Il n'y a pas de Casimir qui tienne. Le pianiste polonais dont je t'ai parlé joue ce soir à la salle Erard. La location n'a pas donné les résultats escomptés. A peine un tiers de salle ! Aussi, tout ce que Paris compte de Polonais doit être présent.

— Est-ce qu'il joue bien au moins, ton pianiste ?

— Comme un dieu !

Marie Sklodowska se laisse entraîner à regret.

Mais dès que le silence s'est fait dans la vaste salle à moitié vide, dès que les mains de l'étrange artiste à tête de prophète qui s'est incliné devant l'assistance se sont mises à courir sur le clavier, Marie oublie, et, avec ses voisins, se laisse captiver par la musique. Chopin, Liszt, Schumann chassent pour quelques heures les formules de physique étudiées le matin même au cours du professeur Appell.

Le lendemain, le charme opère de nouveau. Car le pianiste au regard de feu est venu chez les Dluski. Il est venu pour bavarder entre compatriotes, pour retrouver un cadre familier, pour être comme tout le monde. Mais comment pourrait-il être comme tout le monde quand il y a un piano dans la maison ? Oh ! ce n'est qu'un très honnête petit piano-buffet, un piano sur lequel Bronia ou Casimir s'amuse à tapoter à leurs moments perdus. Néanmoins, l'artiste s'approche, taquine le clavier, s'assied sur le tabouret. Et sous ses doigts, l'honnête petit piano-buffet devient un instrument merveilleux. Tout de suite, l'assistance est captivée. Il n'y a plus que la musique...

— Mais qui est-ce ? demande à voix basse une Française amenée par des amis communs chez les Dluski. Je n'ai pas retenu son nom.

— C'est un nom compliqué, répond gentiment Marie Sklodowska avec une amabilité piquée d'ironie. Paderewski !

Il était encore trop jeune pour qu'elle pût ajouter :
« Un des plus grands virtuoses du XXᵉ siècle et le Président de notre République. » Cet éloge, elle allait pourtant avoir l'occasion de le formuler plus tard, bien plus tard, alors qu'elle-même serait devenue « un très

grand savant et le seul professeur féminin de la Sorbonne ».

■

Non, non et non, ce n'est plus possible !... Marie est furieuse. Marie s'énerve. En moins de dix jours, son beau-frère a essayé de l'entraîner deux fois au théâtre et une fois au concert. Encore, s'il y avait moyen de résister à ce diable d'homme ! Mais non, il se fait persuasif, autoritaire, et il a toujours en dernière minute un argument irréfutable. Sur les trois fois, Marie a accepté deux fois.

« C'est trop ! » pense-t-elle. « Il faut que quelque chose change dans ma situation. Oui, mais quoi ? »

« Je ne veux pas être la bête noire de la maison, je ne veux pas qu'on m'appelle la grincheuse, et je ne veux pas non plus perdre mon temps avec des distractions dont je n'ai nul besoin... »

Si grande est sa préoccupation qu'elle ne se rend même pas compte qu'elle parle à haute voix.

« Et puis, de quoi ai-je besoin au fait ? De mes livres, de mes carnets de notes, d'une chaise et d'une table. Le reste est du superflu. »

Très vite, en quelques heures, l'idée qu'elle peut vivre seule, sans l'aide de sa sœur et de son beau-frère, a germé dans son esprit. Tout d'abord, de quelle somme d'argent dispose-t-elle ? Le compte n'est pas compliqué : quarante roubles. C'est-à-dire cent francs par mois. C'est-à-dire trois francs par jour. Même en 1892, trois francs par jour ne font pas lourd. Mais Marie ne s'arrête pas à de pareils détails.

« Si je loue une petite chambre près de la Sorbonne, continue-t-elle à monologuer, j'épargne par jour deux trajets en omnibus. De plus, je ménage mes forces. Je puis donc manger moins. Contre cette logique-là, je pense que Bronia elle-même ne trouvera rien à redire... »

Aussi, dès le lendemain, devant le couple réuni, fait-elle part de son projet sur un ton très calme. Mais :

— Comment ? Tu veux vivre dans une chambre ? s'exclame le docteur.

— Oui, répond Marie.

— Tu ne sais même pas préparer un bouillon !

— C'est sans importance, réplique l'étudiante. Ou bien j'apprendrai, ou bien je me passerai de bouillon.

Cette fois, c'est Bronia qui intervient :

— C'est cela ! Et quand tu seras morte je serai chargée d'écrire la nouvelle à papa.

— J'ai une santé de fer !

Marie ne peut que hausser les épaules devant l'objection de sa sœur. La prend-on pour une fillette maladive ?

Il faut croire que non, puisque les Dluski la laissent quand même partir. Rue Flatters, à deux pas de l'Ecole de Physique et de Chimie qui est perchée rue Vauquelin, en plein quartier latin, Marie Sklodowska a trouvé une petite chambre qu'elle juge très convenable. Puisque d'autres étudiantes qui se débrouillent avec cent francs par mois parviennent à nouer les deux bouts dans cette maison, pourquoi ne le pourrait-elle pas, elle ? C'est d'ailleurs ce qu'elle déclare à Bronia, au cours de la première visite qu'elle lui rend. Elle oublie seulement de dire que les autres étudiantes se réunissent pour faire une popote commune, alors que la fière Marie ne se soucie pas de sa nourriture. Un morceau de gruyère sur un morceau de pain le midi, un autre morceau de gruyère sur un autre morceau de pain le soir, et elle suppose qu'elle a bien mangé. Comme boisson, du thé, parfois un verre de lait, plus rarement un quart de rouge.

A vrai dire, elle ignore qu'elle mange. Debout, appuyée du coude sur la table dans une position qu'elle affectionnera toujours, Marie Sklodowska assimile sa matière, comble les lacunes d'une instruction moyenne reçue dans un pays désorganisé et occupé, bûche son français. Maintenant, elle suit avec facilité les exposés de ses maîtres. Son horizon scientifique s'élargit.

Par contre, son avoir se rétrécit singulièrement. Elle a beau calculer, jouer la fille avare, ses quarante roubles sont encore insuffisants. C'est que les ouvrages spécialisés coûtent cher et qu'elle ne peut s'en passer.

— Toutefois, explique-t-elle à son beau-frère un dimanche que celui-ci est seul à la maison, je puis fort bien me passer d'une chambre luxueuse...

— Tiens ! s'exclame le docteur avec ironie, tu ne m'as jamais avoué que tu louais *aussi* une chambre luxueuse.

— Ma chambre est luxueuse, précise Marie le plus sérieusement du monde. Elle a tout le confort.

— Et tu veux la quitter ? Tu envisagerais de déménager ? Au train où tu vas, pourquoi n'irais-tu pas loger sous les ponts, avec les clochards ?

— Bon conseil, mais mon travail en souffrirait. Sinon, je tiendrais compte de ton idée.

Casimir commence à s'énerver.

— Ecoute, Mania (c'est un petit nom charmant, mais Marie ne se laisse pas attendrir). Il faut que tu te décides à prendre soin de ton corps. Tu n'es pas un pur esprit...

Et alors, avec la voix d'un chef qui commande :

— Tu resteras rue Flatters.

Marie a rougi.

— C'est que... C'est que... bredouille-t-elle.

— Quoi donc ? Explique-toi clairement.

— C'est que j'ai déjà déménagé, avoue-t-elle enfin.

16

J'habite maintenant rue des Feuillantines... Oh ! Casimir, ne te fâche pas. Je suis très, très contente.

Comment le bon docteur Dluski pourrait-il se mettre en colère devant tant de candeur ? Marie est désarmante. Tout ce qu'il trouve à répondre, après cinq longues minutes de méditation, c'est :

— Je viendrai te voir. Il le faut...

— Mais bien sûr, Casimir ! Je ne te ferme pas ma porte.

— Lundi, alors ?

— Tu veux dire demain ? s'étonne l'étudiante. Oh, non ! j'ai trop de travail et rien n'est prêt chez moi. Pense donc, j'ai emménagé avant-hier. Viens dans huit jours, ce sera plus raisonnable.

A ce mot de raisonnable, tout autre que Casimir eût bondi. Mais lui, décidément non, il ne peut plus. Réagir comme un homme normal, impossible ! Cette petite le dépasse. Elle l'anéantit.

— Bon ! soupire-t-il. Je viendrai te voir dans huit jours.

Marie respire. Ouf ! Huit jours de gagnés. Car, à vrai dire, elle a un peu peur de l'opinion de son beau-frère. Rue Flatters, elle habitait une chambre, une chambre modeste, mais enfin une chambre. Maintenant, rue des Feuillantines, elle loge dans une mansarde, et quelle mansarde ! Située au cinquième étage, pas d'ascenseur bien entendu, elle n'a ni chauffage, ni éclairage, ni eau. L'eau se prend à l'étage d'en dessous, et la lumière naturelle descend d'une lucarne qui donne directement sur le toit en pente. Le seul avantage : ce n'est pas cher. Marie ne s'est intéressée qu'à cette partie du problème.

Assise sur la malle qui sert à la fois de siège, de commode et d'armoire, Marie est heureuse. Personne ne vient la déranger dans sa solitude. C'est trop haut, et les copains savent bien qu'on ne débouche pas « une bonne bouteille » chez la Polonaise studieuse. Coincée entre ses livres et ses cahiers, Marie travaille jusqu'à deux heures du matin. D'abord à la Bibliothèque Sainte-Geneviève où il fait chaud et clair, puis, après la fermeture qui a lieu à dix heures, chez elle, où il fait glacial. Quant à la lampe à pétrole, Marie sait trop bien quel sinistre éclairage elle peut donner : n'a-t-elle pas les yeux perpétuellement rouges et gonflés ?

Avant de s'engager dans la voie qui sera la sienne et qu'elle ignore encore, elle veut tout apprendre, tout savoir. Sa tête est un magasin de physique !

Un jour, dans sa chambre, Marie s'évanouit. Quand elle revient à elle, une seule pensée la tracasse :

— Serais-je malade, moi ? Non, la chose est impossible...

Mais avant que la semaine de répit demandée à Casimir soit écoulée, un second évanouissement la surprend au milieu de la rue. Heureusement que Dydynska, devenue son amie — son unique amie de la Sorbonne — et qui s'est mise dans la tête de la défendre contre les taquineries des étudiants en quête d'aventures, l'accompagne. Vite, elle ranime Marie, la porte quasi jusqu'à la mansarde, redescend quatre à quatre le casse-gueule qu'est l'escalier, et se précipite vers le bas de La Villette. Elle ne peut cacher plus longtemps la vérité aux Dluski.

Deux heures plus tard, Casimir est rue des Feuillantines. Il croit trouver Marie grelottante de fièvre sous ses couvertures, il la découvre assise sur sa malle, devant la table où s'amoncellent livres et cahiers. Toujours ces cahiers !

— Qu'est-ce que tu fais ? demande-t-il rudement pour cacher son émotion.

— Tu le vois, je travaille. Figure-toi que j'ai décidé

de préparer à la fois ma licence de physique et celle de mathématiques. A mon avis, c'est indispensable.

Elle aussi parle rudement, sans patience. En moins de huit jours, Marie a changé. Est-ce son nouveau genre de vie ? Est-ce une attitude d'auto-défense ?

Casimir ne dit rien. Il hausse machinalement les épaules. Ses yeux d'observateur scrutent le taudis. Hum ! bien propres ces casseroles !... Et les assiettes ? Pas une qui semble avoir servi dans la soirée. Or, Casimir sait bien que Marie ne mange jamais au restaurant.

— Tu es bien pâle, mon petit ?

Il est passé à l'interrogatoire. Il se sent une âme de juge d'instruction.

— Moi, pâle ?

— Oui, ne fais pas l'innocente. Je sais que tu t'es évanouie tout à l'heure.

— Ce n'est rien ! proteste Marie. Du surmenage, pas autre chose. Je viens de te le dire : je prépare deux licences.

— C'est très bien de préparer deux licences. Mais dis-moi : qu'as-tu préparé, plus simplement, pour ton dîner ?

— Pour mon dîner ?... Heu !... J'ai mangé des cerises.

La voix reste riche, cependant Dluski perçoit comme un tremblement. Faiblesse soudaine ? ou bien colère ?

— C'est tout ? insiste-t-il.

— Non, bien sûr ! J'ai encore mangé un tas de petites choses, machinalement. Tu sais, je ne prête pas grande attention à mes aliments.

Non, ce n'est pas le ton de quelqu'un qui se fâche. C'est autre chose, mais quoi ? Il lui semble que Marie cache son jeu sous le masque de la fausse naïveté. Il y a aussi de l'ironie dans sa voix.

— Essaie de savoir quand même.

— Voyons !... Ah oui !... J'ai mangé des radis.

— Combien ?

— Oh !... Sûrement une demi-botte.

— Et puis ?

— Et puis ! Mais c'est suffisant pour moi. Les radis sont une nourriture très reconstituante.

Cette fois, Casimir n'est pas décidé à s'en laisser conter. Il poursuit :

— Qu'est-ce que tu as mangé ce midi ?

— Ce midi ? Rien de plus simple : la première moitié de la botte de radis. Tu sais, plus ils sont frais, meilleur goût ils ont. Alors, il faut les manger dans la journée.

— Soit ! Et avec ça ?

— Voyons Casimir... Rien ! Je ne suis pas gourmande.

Le docteur a envie de bondir. Mais non, il faut d'abord savoir. Des faits, des faits !

— Et hier ?

— Hier ?... C'est loin hier.

— Souviens-toi.

— Ah, oui ! Je vois...

Marie sourit.

— Figure-toi qu'hier, je n'avais pas faim. Je me suis contentée d'un bol de thé. Tu sais, le bon thé que papa m'envoie de Varsovie.

Oh ! de quels yeux remplis d'innocence Marie Sklodowska regarde le docteur Dluski. Non, elle a beau faire, elle ne se sent pas l'âme coupable. Les reproches de Casimir n'y peuvent rien changer.

Car, maintenant qu'il sait tout, Casimir ne se retient plus. Ce que Marie entend !... Il la traite de folle, de prétentieuse, de fille perdue.

— Ta licence, n'y compte pas, tu ne la décrocheras jamais avec le régime que tu suis. Te prends-tu pour une actrice de théâtre gagnée par l'embonpoint ? Te

20

crois-tu obligée de maigrir pour les beaux yeux d'un godelureau ? Sais-tu ce qui t'attend ? Tu vas perdre la mémoire. Tu vas tomber évanouie devant tes examinateurs. Qu'est-ce que je dis !... Même pas : tu seras malade bien avant la date des examens. Tu...

Il s'interrompt net.

— Où est ton manteau ?

— Pour quoi faire ? Je n'ai pas froid.

— Pour le mettre, car tu vas m'accompagner.

— Où ?

— A la maison. Bronia préparera un de ces petits plats dont tu as bien besoin, et moi, pendant ce temps, je te soignerai. Allons, pas d'histoire !

Vaincue par la volonté de son beau-frère, trop faible soudain pour lui résister, Marie obéit. A La Villette, ce sont les larmes et le beefsteak, les reproches tendres et le lit chaud. Pendant dix jours, l'étudiante vivra dans ce style-là. Puis, obsédée par l'idée des examens, pleine de nostalgie pour ses livres et sa solitude, un peu remise sur pied par sa petite famille parisienne, elle quitte le nid des Dluski.

Sa mansarde ! Ah ! vivement sa mansarde !

Le résultat ? Casimir aura été mauvais prophète. En 1893, Marie Sklodowska est reçue première à la licence ès sciences physiques, en 1894 seconde à la licence ès sciences mathématiques. De plus, sa légende de calculatrice hors ligne commence à se répandre dans les couloirs de l'Ecole.

Les hommes qui ne lui font pas la cour, ceux que la Dydynska ne doit pas repousser à coups de parapluie, et qui s'appellent Paul Painlevé, Jean Perrin, Charles Maurain, c'est-à-dire, en les nommant par leurs futurs titres de gloire, les équations différentielles et les fonctions elliptiques pour le premier, les rayons cathodiques et le mouvement brownien pour le second, les cycles d'aimantation et la physique du globe pour le troisième, ces hommes-là, ses compagnons de tous les jours, disent d'elle :

— Elle nous dépassera tous.

Marie Sklodowska n'a pas trente ans...

3

« Les femmes de génie
sont rares. »

P. C.

Non, Marie n'a pas trente ans, Marie
en a exactement vingt-sept, mais ni sa jeunesse ni ses
titres ne l'empêchent d'être malheureuse comme les pierres, en ce début de l'année 1894.

Le monde pourrait crouler, la guerre devenir imminente, les plus célèbres amours de Paris se dénouer,
qu'elle s'en moquerait ou, plus justement, qu'elle ne
s'en apercevrait pas. Un seul problème la poursuit :
trouver un laboratoire, tout de suite.

« Dix ans de ma vie pour un laboratoire ! »

Sans doute ne le crie-t-elle pas à la face des gens,
car l'exaltation slave n'est pas son fort, mais il suffit de
vivre une heure avec elle pour se rendre compte que la
boutade lui convient fort bien.

Vivre une heure avec elle et l'écouter.

— Pensez donc ! se plaint-elle à son entourage, la Société pour l'Encouragement de l'Industrie Nationale

me demande une étude sur les propriétés magnétiques de quelques aciers. J'en parle à Lippmann, je commence mes recherches dans son laboratoire, et puis, je m'aperçois que je ne pourrai jamais y introduire tous les échantillons dont j'ai besoin. Ils prennent de la place et le laboratoire est déjà surchargé.

Et cela finit sur :

— Vous n'avez pas un local pour moi ?

Un local ? A Paris ? Tous lèvent les yeux au ciel. Décidément, Marie Sklodowska est bien naïve...

Jusqu'au jour où elle rencontre un certain monsieur Kowalski.

Kowalski est Polonais et professeur de physique. Il connaît Marie de longue date. De passage dans la capitale française — voyage de noces et cycle de conférences — il demande à la voir car il a entendu parler de ses succès universitaires ainsi que des travaux dans lesquels elle s'est engagée. L'entretien s'égare d'abord dans d'aimables généralités, on parle de Varsovie et des Russes, de celui-ci et de celle-là, des conditions de travail à Paris...

Conditions de travail à Paris ! La phrase tabou, la phrase à ne pas dire, le sésame ferme-toi de la science française. Il faudrait voir le regard de Marie à cette évocation-là ; des éclairs. Alors, n'y tenant plus, et bien qu'elle se juge idiote de parler à un étranger d'un problème aussi parisien, elle explique sa situation pour la nième fois, l'achevant sur la seule question qu'elle est encore capable de poser.

— Un laboratoire ? reprend lentement Kowalski désireux d'être agréable à sa compatriote. Attendez !...

Quoi, il ne hausse pas les épaules, comme les autres ? Marie n'en revient pas. Du coup, elle est suspendue à ses lèvres.

— J'ai chez moi, ce soir, un jeune savant très sympathique, explique le professeur. Il travaille à l'Ecole de Physique et de Chimie de la rue Lhomond. Qui sait ? Peut-être pourra-t-il vous aider. Au fait, j'y pense ! Vous devez le connaître. Ses trente-cinq ans ne l'empêchent pas d'être célèbre. Il s'appelle Pierre Curie.

Evidemment qu'elle le connaît ! Non pas personnellement, elle ne l'a même jamais vu, mais par l'intermédiaire de la science. N'est-il pas une loi ? La loi de Curie ? Une loi qui concerne justement les propriétés magnétiques.

— Est-ce que... commence-t-elle.

Mais l'autre, très homme du monde :

— Venez vers neuf heures, après le dîner. Vous prendrez le thé avec nous et je vous présenterai à Curie.

Il ajoute en souriant :

— C'est peut-être la chance de votre vie !

■

La chance de sa vie ! Le brave monsieur Kowalski regrette maintenant un peu ce cri du cœur. Certes, la soirée est réussie : un dîner qui s'achève sans heurts, des invités heureux de se rencontrer pour parler de physique, mais l'euphorie générale ne lui ôte néanmoins pas de la mémoire le petit entretien qu'il a eu, avant qu'on se mette à table, avec Pierre Curie.

— Vous voulez que je m'occupe des femmes ? s'est exclamé le savant.

— Oui, mais celle-ci est bien près d'avoir du génie ! a répliqué le professeur piqué au vif.

Et là-dessus, Curie :

—Du génie, du génie ! Les femmes de génie sont rares, mon cher. Les quelques jeunes filles auxquelles je me suis intéressé avec mon cœur et mon esprit ne voulaient pas de mon esprit, et, somme toute, assez peu de mon cœur. Elles avaient besoin d'une sorte de mouton bêlant, d'un cavalier servant prêt à négliger ses occupations les plus impérieuses pour parler de chiffons ou de gens inconnus. Croyez-moi, j'ai passionnément cherché du côté des femmes. Hélas ! ma fougue n'a pas su prévenir les échecs les plus cuisants. Alors !...

L'aparté s'est clôturé sur ce petit mot sceptique qui rend monsieur Kowalski bien soucieux pour sa protégée.

A présent, tout le monde s'est levé, et des groupes se forment selon les hasards de la conversation. Réfugié dans l'embrasure d'une fenêtre avec Pierre Curie, l'hôte jette de temps à autre un regard discret vers la pendule. Neuf heures vont sonner ! Ah, si un empêchement de la dernière minute...

Il ne sait pas ce qu'il souhaite là ! Un empêchement ? Marie serait malade à ne plus tenir debout, on lui annoncerait la mort de sa sœur Bronia, qu'elle irait quand même chez Kowalski. L'espoir d'obtenir un local lui permettant d'achever enfin son travail lui ferait traverser le feu. Au demeurant, elle n'est pas malade, Bronia se porte le mieux du monde, et, à l'heure dite, vêtue sobrement, coiffée comme d'habitude, elle franchit le seuil de ce qu'elle appelle déjà « l'appartement du salut » pour pénétrer dans le grand salon.

Tout de suite, elle a aperçu le professeur et son invité. « La porte de mon laboratoire, » pense-t-elle avec une pointe d'impertinence parisienne.

Et Pierre Curie de son côté : « L'ennemie ! »

Il y a d'abord eu les présentations :

— Bonjour, monsieur.

— Mes respects, mademoiselle.

« Et patati... et patata... » pense Pierre Curie. Mais à sa grande surprise, la jeune Polonaise l'interrompt net sur le terrain des mondanités pour s'engager entièrement dans la voie plus aride de la science pure. On parle de mathématiques, on parle de chimie, on parle de physique, et au bout d'un quart d'heure, le magnétisme des aciers ayant été abordé, il se produit une sorte de petit miracle : grâce à ce magnétisme, il n'y a plus d'ennemie, il n'y a plus de « monsieur qui peut être utile. » Il y a deux chercheurs passionnés, le premier — l'homme — s'étonnant qu'une femme si jeune et combien ravissante possède des connaissances à ce point étendues et poussées ; l'autre — l'étudiante — se laissant éblouir par les vues audacieuses du savant, lui posant des questions avec un respect qui n'exclut nullement la précision.

De temps à autre, cependant, un grain de distraction cale les rouages de l'admirable mécanique qu'est le cerveau de Pierre Curie. Une petite phrase lui trotte dans la tête, une petite phrase dont il ne peut se défaire : « Elle a *presque* du génie... » Est-ce que monsieur Kowalski aurait raison ? Il se souvient de sa réponse si catégorique, si dure pour les femmes. Maintenant, il en a *presque* honte.

Et c'est lui, oui lui, qui abandonne le premier le terrain scientifique pour parler de choses plus humaines :

— Vous faisiez déjà de la recherche en Pologne ?

— Oh, non ! s'exclame-t-elle de sa voix chantante, j'étais une petite institutrice. J'ai commencé par payer les études de ma sœur Bronia partie la première pour Paris, puis, quand elle a eu de l'argent, elle m'a fait venir ici.

— Je vois... Et, vous avez attendu longtemps ?

— Six ans.

Bon Dieu ! pense le savant, aurais-je eu son courage ? Il demande encore :

— Une fois vos études achevées, vous comptez sans

doute rester en France ? Votre mérite vous ouvrira facilement les portes du succès.

Marie hoche la tête.

— Non, insiste Curie ? Vous n'aimez pas Paris ? La France vous déplaît ?

— Là n'est pas la question. Je ne puis abandonner mon père qui m'attend à Varsovie ; je ne puis, non plus, abandonner mon pays qui, vous ne l'ignorez pas, souffre sous le joug de la Russie.

Il est surpris.

— Comment ? Vous n'êtes pas un soldat que diable !

— Il y a plusieurs façons de se rendre utile à son pays !

La réponse fuse, rapide, un peu cravache. Puis, emportée par un sentiment de nationalisme exacerbé, Marie Sklodowska se lance dans une description dramatique des malheurs de la Pologne.

— Ce serait une lâcheté, conclut-elle, de rire à Paris quand on sait qu'à Varsovie les hommes du Tsar fusillent vos compatriotes.

Mais Pierre Curie, né dans une France libre, élevé dans un milieu libéral où toutes les pensées sont respectées, nourri de l'air de ce Paris frondeur où les sourires en coin et les chansons de la rue viennent corriger les attitudes trop grandiloquentes, ne comprend pas. Il sait que cette jeune fille a une intelligence peu commune, une énergie rare, des connaissances solides, un amour immodéré de la science, qu'elle sacrifie tout pour les mathématiques et la physique : amis, famille, confort, santé, et la voilà qui se laisse happer par un patriotisme tout de même un peu verbeux.

Il n'est pas content. Encore qu'il ne sache au juste à qui il en veut : à cette demoiselle exaltée ou à lui-même ?

Oui, à lui-même.

Car il y a une chose qu'il commence à comprendre : pour Marie Sklodowska qui, ce matin encore, était une inconnue, pour Marie Sklodowska qui, il y a une heure à peine, était l'ennemie, il éprouve maintenant un sentiment fait d'angoisse, de peur, d'envie, de dépit, de souffrance.

Le savant Pierre Curie, le doux Curie à la haute stature légèrement voûtée, serait-il amoureux ?...

Avant de se séparer :

— C'est entendu, mademoiselle, je crois qu'il y aura moyen de vous trouver un local rue Lhomond. De toutes façons, j'en parlerai au directeur de l'école. Il a beaucoup d'enthousiasme et il saura comprendre votre situation.

Puis, plus bas :

— Mais on ne quitte pas la France sans y réfléchir à deux fois !

Marie Sklodowska, toute au bonheur d'entendre la bonne nouvelle, n'a pas vu le sourire un peu contraint de son nouveau protecteur, ni cette rougeur soudaine qui envahit son visage.

■

Sur la table de Marie un petit livre est ouvert que l'étudiante lit avec gravité. Son titre : *Sur la Symétrie dans les Phénomènes Physiques*. A la première page, il y a une inscription tracée à la main : « A Mlle Sklodowska, avec le respect et l'amitié de l'auteur, Pierre Curie ».

C'est le premier cadeau du savant, une œuvre à lui. Depuis quelques jours, il vient régulièrement rue des Feuillantines, le cœur en feu et l'esprit riche de pensées nouvelles. Mais dès qu'il se trouve dans la mansarde, la timidité le paralyse, et au lieu de prononcer les phrases que prononcent tous les amoureux débutants, il se lance dans sa spéculation scientifique avec une ardeur d'autant plus grande qu'il veut absolument faire comprendre à Marie que « bb' et bb2 » veulent aussi dire : « Je vous aime. »

Est-ce que la belle Polonaise est aveugle ? Ou bien se refuse-t-elle à aimer, estimant qu'il n'y a pas de place pour ce sentiment dans la vie d'un savant ? En réalité, Marie n'est ni aveugle ni insensible, mais effrayée, mais sceptique.

Il y a un drame d'amour dans sa vie, ou, plus justement, une déception sentimentale qui a blessé à la fois son cœur et son orgueil.

Or, l'orgueil de Marie Sklodowska résiste mieux au temps que le granit à l'action des siècles.

C'était en 1886. Elle avait dix-neuf ans. Elle enseignait le russe et le polonais, l'histoire et la géographie, ainsi que des éléments de mathématiques dans une famille enrichie par l'industrie des betteraves. Elle, qui avait cru découvrir une campagne pittoresque et riante, vivait dans un décor d'usines et de champs monotones, avec des gens aimables mais distants, et chargée de l'éducation d'un enfant paresseux. Et pourtant, rentrer à Varsovie, revoir sa famille, retrouver ses amies ne lui souriait guère. Marie était amoureuse.

Amoureuse de Casimir, le fils aîné de la maison.

Ce qu'il était ? Un de ces êtres charmants, capable d'enjôler une demoiselle, capable même de l'aimer, ne manquant ni d'intelligence ni de sensibilité, bien élevé, parfait futur maître de logis, mais né avec l'horreur des difficultés, de la lutte, des conflits, et dont les sentiments s'attiédissent pour peu qu'un obstacle se présente.

Or, cet obstacle se présenta. Le jour où il fit part à

ses parents du projet d'épouser Marie Sklodowska, les honorables bourgeois qu'ils étaient s'écrièrent :

— Epouser notre institutrice, mais tu perds la tête, mon garçon ! Cette fille est sérieuse, nous te le concédons, mais elle n'a aucune fortune.

— Alors ?

— Alors, c'est non. Si tu insistes, nous la chassons.

Il n'insista pas, et Marie ne fut pas renvoyée. Mais on lui fit comprendre qu'on la considérait comme de la graine d'intrigante. Elle serait bien partie d'elle-même si Bronia n'eût été déjà à Paris, comptant sur une partie de son traitement pour achever ses études de médecine. Elle était coincée.

Et la nuit, dans sa chambre, elle pensait :

« Je suis une fille pauvre, pas très jolie, trop sérieuse. Aucun homme ne voudra jamais de moi. Ou alors, ce sera par pitié, ou par intérêt, pour avoir une femme capable de tenir un ménage, sans plus. Dans toutes les familles honorables, on me considérera comme une intruse. Eh bien, à ces images-là, je dis non. Je passerai ma vie seule. Je n'ai besoin de personne. »

Je n'ai besoin de personne, voilà le grand mot, le mot clef ! Chaque fois qu'un homme a essayé de forcer son intimité, les années vécues dans l'usine de betteraves lui sont revenues à la mémoire avec les paroles qu'elle prononçait au creux de son oreiller, d'un oreiller parfois mouillé de larmes.

Mais Pierre ?

Va-t-elle demeurer insensible devant cet homme remarquable, devant ce savant qui a les mêmes aspirations qu'elle, dont la vie entière est consacrée à la recherche, dont le cœur est noble ?

Un jour d'été, peu de temps avant les vacances, un jour qu'il fait beau et qu'au Luxembourg toutes les chaises sont groupées par deux, Pierre devient pressant.

Avec la brusquerie des timides, il s'aventure enfin dans les chemins jusqu'ici interdits :

— Marie, je vous aime. Non seulement nos cœurs s'accordent, mais aussi nos esprits et nos tempéraments. Si vous le voulez, nous pourrons avoir une existence extraordinairement riche...

Marie ne dit rien. Ni oui ni non.

— Répondez-moi ? Voulez-vous devenir ma femme ? Je suis un homme très simple, n'aimant guère le monde, ayant les honneurs en horreur, rêvant d'une vie partagée entre la maison et le laboratoire. N'est-ce pas un peu votre idéal à vous aussi ? Dites ?

Le cœur de Marie bat plus vite. Ce que dit son compagnon est juste. Ses phrases, elle pourrait les reprendre à son compte sans y changer un mot. Mais alors son fichu orgueil se cabre ! Quoi, elle a donc besoin d'un homme ! Comme les autres ! C'était bien la peine de mener une vie ascétique, de brûler pour les malheurs de la Pologne !

— Pierre, répond-elle enfin d'une voix qu'elle voudrait moins douce, je ne puis accepter ce que vous me proposez. Jamais je n'ai envisagé sérieusement de m'établir en France. Mon père me réclame à Varsovie où je compte me faire une situation de professeur. Pourquoi vous obstinez-vous à bouleverser la vie d'une sage jeune fille peu faite pour un ménage, des enfants ?

Et avec un sourire :

— On me reprochait naguère de ne pas savoir préparer le bouillon. En toute sincérité, je dois vous avouer que je n'ai fait aucun progrès dans ce domaine.

Mais Pierre trouve le sourire de Marie un peu crispé. Il la sent inquiète, pas si désireuse qu'elle l'affirme de finir ses jours dans un gymnase polonais. Et si elle est têtue — « Tu sais, c'est un des traits prédominants de son caractère ! » lui a dit son frère Jacques, à qui il a

montré une photo de Marie — chez lui aussi la tête
est près du bonnet.

— Je n'ai nul besoin d'une cuisinière, réplique-t-il
doucement. Ne déplacez donc pas le problème. Mais
puisque vous mettez la Pologne entre nous, j'ai une proposition à vous faire : je pourrais vous accompagner à
Varsovie.

La jeune femme est effarée.

— A Varsovie, Pierre ! Pour quoi faire ? Et pour
combien de temps ?

— Pour quoi faire ? Mais pour y vivre ma vie près
de vous, c'est-à-dire pour y aller sans espoir de retour.

— Vous feriez cela ? Vous, Pierre, un savant dont
la France a besoin ?

Pour la première fois, Marie est touchée jusqu'au fond
de son être. Qu'un homme de la valeur de Curie lui
propose une chose aussi insensée montre combien ses
sentiments à son égard sont réels. Ce sont des yeux bou-
leversés, des yeux de femme, qu'elle lève enfin sur lui.

— Je ne veux pas, murmure-t-elle, durement cette
fois.

— Alors, vous restez ? Vous acceptez de devenir ma
femme ?

Oh, que la décision est difficile à prendre ! Dans le
cœur de Marie Sklodowska c'est à présent la tempête.
Elle, jusqu'ici maîtresse d'elle-même, sent qu'elle perd
pied, qu'il y a comme une énorme vague qui la soulève
pour la précipiter ensuite dans le fond de l'abîme.
Ses traits se durcissent davantage, une ride verticale
creuse son front entre les yeux, et ses yeux prennent
un éclat métallique que Pierre ne lui connaît pas encore.

— Marie, Marie !... dit-il très vite, effrayé par le
changement soudain du beau visage.

Mais déjà le passage du mal n'est plus qu'un souvenir. Se tournant vers le savant, la jeune femme a retrouvé son calme et essaie de sourire.

— De toutes façons, commence-t-elle avec les inflexions qu'elle aurait eues pour développer un raisonnement scientifique, il faut que je retourne cet été à Varsovie. Deux mois de vacances, loin de Paris, loin de vous, car je reconnais que je vous suis très attachée, me permettront de voir clair et de prendre une décision.

— Vous reviendrez ?

C'est tout ce que Pierre désire savoir. Il sait que si Marie revient, consentante ou non, la partie est gagnée pour lui.

Un moment d'hésitation, un moment qui paraît l'éternité et où le souffle se fait plus court, un moment où l'on souffre cruellement, balancé entre l'espoir et la peur, puis :

— Oui, Pierre, je vous le promets, je reviendrai.

La partie est gagnée.

■

Les amoureux ordinaires comprendront peut-être mal les hésitations de cette femme. Peut-être même les condamneront-ils. Sans doute parce que les amoureux ordinaires n'engagent jamais qu'une faible partie d'eux-mêmes et se grisent plus de mots qu'ils ne construisent pour la vie. Ou parce qu'ils n'ont rien à engager, leur personnalité étant trop pauvre.

A Varsovie, Marie pense constamment à Pierre Curie et, avec un certain étonnement, découvre son propre cœur.

Marie Sklodowska n'est pas une amoureuse ordinaire. Pour aimer, il faut qu'on la plie, il faut qu'on lutte.

Pierre sera son maître ou il ne sera rien. Trop entière pour ruser avec la vie, trop orgueilleuse pour admettre une faillite du couple qu'ils formeront, elle veut d'abord épuiser toutes les objections, elle veut d'abord être dure. Au contraire de bien des gens, qui commencent par le bon pour servir le mauvais après, la jeune Polonaise tient à commencer par le mauvais. Son premier objectif est de donner d'elle une image peu flatteuse, d'apparaître comme une femme intransigeante, désagréable, de sacrifier délibérément les mensonges dont s'entourent trop de fiancés, bref, de faire peur au médiocre s'il y a du médiocre en Pierre.

Mais s'il n'y en a pas, quelle joie de découvrir soudain toute sa chaude tendresse, toute sa fidélité, tous ses trésors de femme aimante !

Ainsi qu'elle l'a promis, elle revient à Paris. Ainsi qu'elle l'a médité, elle sera une fiancée peu commode. Mais Pierre est la douceur même, et, comme il est loin de manquer de psychologie, il croit avoir compris les mouvements du cœur de celle qu'il aime. Il ne s'émeut pas. Marie est là, la vie est belle.

Et Marie peu à peu se fait plus douce, Marie s'aperçoit qu'il n'y a rien de « médiocre » dans son Pierre, qu'il est en réalité le seul homme capable de la rendre heureuse sans restriction.

Au printemps, le « oui » est définitif. Au début de l'été, la famille de Pologne est avertie : le mariage sera célébré à Paris, en toute simplicité, le 26 juillet 1895.

Dans le groupe des intimes, on s'affaire :

— Marie n'a pas de robe !

— Où se fera le repas de noces ?

— Et la voiture ? Qui pensera à louer une voiture ?

Tous ces problèmes trouvent bien vite une solution, solution qui aurait peut-être de quoi effarer des personnes moins fantaisistes ou plus conventionnelles que les habitués du quartier latin.

— Une robe ! s'exclame Marie scandalisée. Une robe spéciale pour le mariage ! Mais je ne veux pas entendre parler de cela. J'admets qu'une petite couturière me fasse un vêtement pratique que je puisse mettre par après pour aller au laboratoire. Rien d'autre.

Si bien que le matin de la cérémonie, la jeune femme se glisse dans une jupe de laine bleu marine, puis enfile une blouse à rayures bleu foncé. C'est ainsi accoutrée qu'elle attend Pierre.

— Une voiture ? a dit Pierre de son côté. Pensez-vous ! Le cousin François nous offre un magnifique cadeau : à chacun une bicyclette toute neuve. N'est-il pas tout indiqué que nous nous en servions pour aller à la mairie ?

C'est ce qu'ils font. Pierre est domicilié à Sceaux, la balade « des nouveaux époux » — Quartier Latin-Ceinture verte de Paris — prend tout de suite une allure de promenade de pique-nique. Le soleil, en effet, est de la partie, la nature embaume, et le chant des oiseaux force les deux savants à lever le nez de dessus leur guidon.

— Je t'aime Pierre.

— Je t'aime Marie.

Mais maintenant c'est elle qui le dit en premier lieu.

Ils ne savent pas qu'ils sont l'image même du bonheur, d'un bonheur tout simple, simple comme le bonheur est toujours. Ils ne savent pas que sur la route fleurie qu'ils ont choisie la gloire les attend. Pour le moment, ils sont deux amoureux à vélo, deux amoureux si contents d'être ensemble qu'ils en oublient presque monsieur le maire et les témoins.

Ah ! s'étendre sous un arbre et rire à gorge déployée. Pour rien. Pour le plaisir de rire...

Et pour la première fois peut-être de leur vie, ils sont enfin une petite fille et un petit garçon.

Une petite fille et un petit garçon, très intelligents, bien entendu.

4

« Chez nous,
tout va bien. »

M. C.

Le jeune ménage Curie s'est installé dans un modeste appartement, au 24 rue de la Glacière, à la limite du XIIIᵉ arrondissement, pas bien loin de l'Observatoire, de la prison de la Santé et de la clinique des Aliénés.

Trois pièces banales.

Mais les amis de Marie, sa sœur Bronia, le bon docteur Dluski se réjouissent.

— Enfin, la petite va changer de vie ! se disent-ils. Elle mangera à sa faim, elle se chauffera convenablement, elle aura de la lumière.

Et de conclure :

— Ce n'est pas trop tôt.

Ils ne se doutent de rien...

Deux semaines plus tard, quelques vieux copains du ménage se décident, un samedi soir, à grimper au quatrième sur la cour, car Marie, pour ne pas perdre ses habitudes de toujours, niche plus près du ciel que de la terre.

— Hé ! c'est nous... Ouvrez donc !... s'écrient-ils joyeusement en frappant du poing contre la porte.

Mais dès que celle-ci s'ouvre, un sentiment de gêne les paralyse. Le tableau ne correspond pas du tout à l'idée qu'ils s'en faisaient. Un autre monde vient de leur apparaître. Marie et Pierre sont là, polis mais étonnés, terriblement sérieux dans le décor sévère qui les entoure. Aux murs, rien. Pas un portrait, pas une aquarelle. Le parquet manque de tapis et c'est en vain qu'on chercherait la plus élémentaire carpette. Les fauteuils ? Les guéridons ? Les petits meubles dispensateurs d'intimité ? Oubliés chez le marchand... Pour tout mobilier, le regard consterné découvre une bibliothèque en bois blanc, une grande table en bois blanc également, et deux chaises. La chaise de Marie, la chaise de Pierre. Les visiteurs, s'ils désirent prolonger leur intrusion, n'ont qu'à s'asseoir par terre.

Mais ils ne le désirent pas. A vrai dire, ils n'osent pas. En bredouillant quelques vagues excuses, ils se retirent rapidement, fermant la porte avec douceur, descendent l'escalier sur la pointe des pieds.

Les Curie n'ont rien fait pour les retenir. Dans leurs yeux, on peut lire : « Mais quels sont ces gens qui viennent nous distraire dans nos occupations ? » et ils n'ont pas essayé de cacher leurs sentiments.

Dans la rue, le petit groupe est médusé.

— Non, ce n'est pas possible !

— On est mieux à la Trappe !

— Voulez-vous que je vous dise ? Eh bien, Marie mariée vaut deux Marie jeune fille.

Et on trouve la formule :

— Les Curie vivent de magnétisme.

C'est un peu vrai, mais c'est tout de même exagéré.

Dans la cuisine, Marie a fait installer un petit réchaud à gaz et il y a des plats avec lesquels elle se débrouille fort bien : les œufs, les frites, le beefsteak, même le poulet. Bien sûr, la chimie est chose plus aisée, néanmoins la cuisine devient moins mystérieuse. Très consciencieuse, Marie a demandé à la mère du docteur Dluski un vieux livre de recettes qu'elle lit avec le même sérieux et la même attention qu'un ouvrage de haute spécialisation physique.

Autre détail : les Curie ne restent pas confinés dans leur appartement de la rue de la Glacière. Quand Pierre n'est pas à l'école de la rue Lhomond et que Marie a cessé de méditer sur ses recherches, les vélos du cousin François sont enlevés de la remise, et vive la campagne !

Pierre est un amoureux de la nature. Il l'aime vraiment, pas comme peut le faire un citadin, dans un style trop souvent « bébête », mais avec une compréhension réelle de la vie des champs et des bois.

Un jour, au terme d'une longue promenade, Marie s'est assoupie au bord d'un étang. En souriant, Pierre la contemple.

« Oh, mais qu'est-ce cela ? »

C'est Marie qui murmure dans son demi-sommeil. Elle vient de sentir sur sa main chaude quelque chose de moite, de glacé, quelque chose qui bouge, qui vit. Ouvrant des yeux effarés, elle découvre avec horreur qu'il s'agit d'une grenouille.

— Pierre !... Pierre !...

Son mari se met à rire, doucement, comme il fait toutes choses. Puis :

— Qu'y a-t-il, mon amour ?... Mon amour n'a pas peur des jolies petites grenouilles vertes, je suppose ?

— Peur, non ! proteste Marie que le dégoût paralyse. Mais les grenouilles n'ont rien à faire dans ma main et tout à gagner dans l'eau !

Pierre ne répond rien. Lentement, il se penche sur sa femme, contemple le petit animal, puis, le saisissant avec adresse, lui donne sa liberté.

— Ouf ! soupire Marie.

Mais lui n'aime pas ce « ouf ! » La réaction de sa femme lui rappelle d'autres jeunes filles, du temps de sa jeunesse, alors qu'il croyait encore aux vertus de la race d'Eve.

— Marie, dit-il, tu surmonteras ce dégoût.

Et elle, souriant pour cacher sa honte :

— Pardonne-moi ! Si tu veux, tu peux remettre la grenouille sur ma main. Je la caresserai...

Ce sera pour une autre fois. Pierre est heureux de la réponse et elle lui suffit. Oui, Marie est adorable. Mais d'autres occupations les attendent.

— Si nous rentrions ? propose-t-il. Je voudrais examiner au laboratoire...

Il ne doit pas continuer. Marie a compris. D'ailleurs, à la réflexion, elle aussi, préfère rentrer.

Et le ménage Curie, remontant en selle, file à toute allure vers Paris où, à l'horizon, l'Arc de Triomphe se détache sur un ciel merveilleusement bleu.

Pendant des années, il en ira ainsi. Dès les premiers jours de leur union, les jeunes savants ont trouvé leur ligne de conduite, découvert le climat qui leur convient : laboratoire, recherches poursuivies à la maison jusqu'à deux heures du matin, balades à bicyclette dans les environs de Paris : Sceaux, Versailles, Chantilly, Montmorency, ou encore, au moment des vacances, dans les vieilles provinces de France : Auvergne, Guyenne, Bretagne...

Même quand elle attendra la petite Irène, Marie décide que rien ne doit être changé à la vie commune.

— Veux-tu que nous différions ce voyage à Brest ? s'enquiert son mari.

Il n'en est pas question ! Et, un mois seulement avant la naissance, Marie suit toujours Pierre dans les éternelles balades à bicyclette. Naturellement, elle a trop présumé de ses forces. Et un soir :

— Je suis honteuse, Pierre. Navrée...

— Mais, ma chérie, que se passe-t-il ? questionne le professeur visiblement angoissé et qui ne se doute pas, en homme qu'il est, des souffrances de Marie.

Elle a posé la main sur son bras, une main soudain couverte de sueur.

— Pardonne-moi, je crois qu'il me sera impossible de poursuivre ce voyage. Il faut que je rentre à Paris.

— Mais, mais...

Pierre ne peut que bredouiller.

— Je ne suis qu'une femme, continue Marie. Je ne parviens plus à dominer mon corps.

Humiliée, cette femme orgueilleuse l'est au plus profond d'elle-même. Jusqu'ici, elle a toujours ignoré sa condition physique, bravant impunément — ou presque — la faim, le froid, la fatigue. Et voici que, pour une malheureuse question de naissance, pour une affaire si simple et si commune à l'humanité, alors qu'elle mange à sa faim, qu'elle est heureuse, il lui faut dire non, baisser la tête, retourner rue de la Glacière.

Le 12 septembre, Marie Curie met au monde un magnifique bébé.

— On l'appellera Irène, dit-elle d'une voix douce, à peine plus voilée qu'à l'ordinaire.

Irène qui deviendra, elle aussi, un grand savant. Avec son mari Frédéric Joliot, elle découvrira la radio-activité artificielle. Irène, qui recevra le prix Nobel...

Mais, en attendant, Irène n'est qu'un bébé braillard qui a coûté, pour venir au monde : 71,50 francs en frais de pharmacie et de garde-malade, 1,10 franc en frais de télégrammes, et 3 francs en frais de champagne. Soit 75,60 francs.

C'est inscrit dans le cahier de comptes que Marie a acheté le jour de son mariage.

Avarice ? Pose ?

Pourquoi ? Il y a tout simplement que l'Etat n'enrichit pas les hommes de sciences. Au moment où il découvre le radium, Pierre Curie gagne péniblement cinq cents francs par mois. Au bout de chaque mois, le traitement est mangé . On s'en doute...

■

Naturellement, les amis du ménage connaissent cette situation. Quand les Curie auront découvert le radium, les plus influents parmi eux diront :

— Ce n'est pas possible ! Pierre ne peut continuer à professer rue Lhomond. Il lui faut au moins une chaire à la Sorbonne.

En 1898, la chaire de Chimie-Physique est vacante.

— C'est le moment ! supposent les protecteurs de Pierre et de Marie.

Ils ne doutent pas de la victoire. La désillusion sera d'autant plus amère.

— Pierre Curie, objectent en effet les envieux, les tâtillons, les médiocres, Pierre Curie n'a été ni à Normale ni à Polytechnique. De plus, les travaux qu'il publie depuis quinze ans ne sont pas exactement du domaine de la Chimie-Physique.

Et la place est pour quelqu'un d'autre.

Mais les amis ne se tiennent pas pour battus. En 1902, tous se liguent pour que Pierre accepte de présenter sa candidature à l'Académie des Sciences.

Le savant résiste.

— Quelle perte de temps vous m'imposez là ! s'écrie-t-il. L'Académie ! Des vieux barbons ! Des bavards qui brillent davantage dans les salons que dans les laboratoires. Vous me voyez dans leur assemblée ?

— Si pénible que ce soit, répliquent certains, tu en tireras trop d'avantages pour que tu puisses te permettre de refuser. L'Académie c'est l'antichambre de la Sorbonne c'est-à-dire un poste enfin digne de toi et un véritable laboratoire.

Evidemment !

— Et... que dois-je faire ? s'inquiète Pierre Curie à moitié convaincu.

On lui répond :

— Quelques visites, rien de plus.

Tout d'abord, il fait la grimace. S'il ne reçoit personne chez lui, le savant ne se rend non plus jamais chez autrui. Marie et ses recherches remplissent suffisamment sa vie. Mais enfin, s'il faut passer par-là, on y passera !

Lui qui a refusé la Légion d'Honneur par haine du monde, par mépris des petites hypocrisies sociales et des courbettes !

Il s'informe :

— S'il n'y a personne ?

— Si l'académicien à qui tu rends visite est absent, tu y retournes ou tu laisses ta carte.

Et en son for intérieur :

— Retourner, jamais ! Je laisserai ma carte. Ah ! si tous les académiciens pouvaient être absents !

Malheureusement, ce n'est pas le cas.

— C'est monsieur ?... s'informe une vieille bonne ou un valet de chambre hautain à chaque coup de sonnette qu'il donne en soupirant.

— Pierre Curie.

— Si monsieur veut me suivre, monsieur attend monsieur au salon.

Et l'entretien commence...

On lui a dit : « Pierre, tu dois exposer tes titres, faire l'éloge de tes travaux, montrer ton savoir, dire quelle haute opinion tu as de toi-même... »

Pierre a simplement fait : « Ah ! »

Il ne comprend pas. Comment ! Un homme sérieux, un savant réputé qui a consacré sa vie à des recherches désintéressées est donc obligé de se métamorphoser en pitre pour obtenir la distinction à laquelle il a droit ? Il doit y avoir erreur, ou alors, on exagère...

Au lieu de parler de lui, Pierre parle des autres.

Pour la place à l'Institut, il a un concurrent sérieux : Amagat. Eh bien ! à chaque académicien qui le reçoit c'est d'Amagat qu'il parle.

— Je le porte en grande estime, dit-il sincèrement. C'est une intelligence qui honore la France et que la France doit récompenser. Ses travaux sont remarquables, non seulement par ce qu'ils apportent à la science, mais aussi par la façon dont ils sont écrits. Oui, monsieur Amagat est un grand écrivain...

Pierre Curie ne saura jamais à quel point il a étonné les vénérables membres de l'Académie. C'est bien la première fois qu'ils tombent sur un concurrent dont la bouche est pareillement remplie de l'éloge d'un autre. « Est-ce un original ? se demandent-ils, ou est-ce un naïf ? » Quoi qu'il en soit, original ou naïf, on le craint un peu. Ne détonnera-t-il pas dans l'assemblée ?

Le 9 juin, les résultats sont publiés. Vingt-trois voix pour Amagat, vingt pour Curie.

C'est l'échec, une fois de plus.

Les amis le questionnent :

— Mais enfin, Pierre ! tu as tout de même reçu la promesse des académiciens ?

— Que voulez-vous dire ?

— Tu leur as demandé s'ils voteraient pour toi ?

— Moi ? Je ne leur ai rien demandé du tout.

C'est trop fort ! Dans le groupe, quelqu'un se fâche :

— Dis plutôt que tu n'as pas daigné le leur demander. Au fond, tu es un orgueilleux !

Le savant proteste faiblement. Mon Dieu qu'on le connaît mal ! Lui, un orgueilleux...

Mais quand il rentre à la maison, quand il voit Marie penchée sur ses carnets, il oublie ses soucis, sa maladresse en société, pour ne plus être préoccupé que par ses travaux. Sans interrompre sa femme, il s'assied près d'elle, la regarde un moment avec beaucoup de douceur, puis, ayant pris une feuille de papier, il commence à tracer des équations...

Pierre Curie est heureux.

■

A la fin de l'année 1897, Pierre et Marie Curie connaissent des sentiments assez semblables à ceux qu'éprouvent les lecteurs de romans policiers : une énigme les tient en haleine depuis quelque temps. Que sont au juste les rayons d'Henri Becquerel ?

Ils sont intrigués au plus haut point. Rœntgen a découvert les rayons X. Poincaré se demande si des rayons du même genre ne sont pas émis par les corps fluorescents sous l'action de la lumière. Becquerel[1], intéressé à son tour par le problème, commence à travailler sur un métal rare : l'uranium[1]. Et, sensation ! les sels de ce métal émettent spontanément des rayons d'une nature inconnue, des rayons qui déchargent un électroscope en rendant conducteur l'air ambiant. Comme les rayons X.

Les Curie s'interrogent du regard.

Et puis, Marie :

1. Voir Magazine Mademoiselle.

— D'où peut provenir l'énergie des composés d'urane ? Quelle est la nature des radiations ?

— Si nous le cherchions ? propose Pierre. De toute façon, ce serait un très bon sujet pour ta thèse de doctorat.

— Et si un autre se trouve déjà sur la bonne piste ? s'inquiète la jeune femme.

Mais son mari hoche la tête.

— C'est presque impossible, affirme-t-il. Je sais ce qu'on fabrique dans les grands laboratoires européens ; rien n'y a trait à l'étude des rayons uraniques. D'autre part, les travaux de Becquerel sont récents. Ils datent de l'année dernière.

— Alors ?

— A mon avis, nous pouvons marcher.

Sur ces simples paroles, la grande aventure va commencer.

Sans le savoir, à l'issue d'un entretien de quelques minutes faisant suite à la lecture d'une brève communication à l'Académie des Sciences, deux jeunes savants pauvres s'apprêtent, non pas à changer la face du monde, mais à bouleverser tout de même certaines notions fondamentales de la science, à préparer l'ère atomique, à apporter à la plus terrible maladie du XXe siècle, le cancer, un remède surprenant.

Ils partent de peu, et ils partent avec rien.

Marie dispose d'un local vitré que la direction de l'école de la rue Lhomond a bien voulu lui céder. Il y fait froid, il y fait sale, ce n'est même pas un laboratoire, c'est un débarras.

Peu importe ! Courageusement, en plein hiver, la jeune femme se met au travail. Mais la récompense est presque immédiate. Au bout de quelques semaines, elle sait qu'elle se trouve sur la bonne voie, que la matière étudiée ne sera pas décevante, que l'uranium apportera réellement du neuf. Le rayonnement, en effet, est une propriété atomique.

Puis, le deuxième point se précise. Marie Curie passe en revue tous les corps chimiques connus et peut affirmer à coup sûr que les rayons découverts dans l'uranium ne sont pas une caractéristique exclusive de ce dernier métal. D'autres métaux les émettent aussi. Elle fait part de sa découverte à Pierre.

— Donner un nom à ce phénomène devient une nécessité, décrète celui-ci.

C'est bien l'avis de Marie. Aussi, dès le lendemain :

— Appelons-le « radio-activité », propose-t-elle. Et appelons « radio-éléments » les corps doués de cette radiance, tels que l'uranium et le thorium.

Encouragée par ses premiers succès, Marie Curie décide d'aller plus loin. Elle accumule les échantillons, renouvelle les expériences, se lance dans de nouveaux calculs, observe sans répit.

— C'est tout de même curieux, se dit-elle. Les minerais qui contiennent de l'uranium et du thorium donnent une radio-activité beaucoup trop forte. Or, j'ai recommencé mes calculs vingt fois, cent fois, il n'y a pas d'erreur possible.

S'il n'y a pas d'erreur possible, c'est que les minerais contiennent un corps chimique plus radio-actif que l'uranium et le thorium.

— Mais j'ai examiné *tous* les éléments chimiques connus ! s'étonne Marie, le front barré d'un pli vertical que Pierre connaît bien.

Au point où elle en est, il n'y a plus qu'une conclusion, une seule : les échantillons étudiés recèlent un corps inconnu, un corps chimique *nouveau*.

Un corps nouveau ! Dans le monde des sciences c'est à peu près comme si l'on parlait de la découverte d'une terre nouvelle. Et c'est elle, la sage Marie, la petite Polonaise effacée, qui joue les grands explorateurs.

Pierre lui-même est ému. Jusqu'ici il s'est bien intéressé aux travaux de sa femme, mais de l'extérieur, sans y prendre une part active. Devant l'importance de sa découverte, il se décide à abandonner ses propres recherches pour l'aider avec toute son intelligence et tout son savoir.

Pierre Curie avait épousé Marie le 26 juillet 1895. C'est le 18 juillet 1898, presque jour pour jour trois ans plus tard, qu'une seconde union va rapprocher encore davantage ce couple unique dans l'histoire des sciences, ce Roméo et cette Juliette de la physique moderne : ils décident, tous les deux, d'adopter le « nous ». La grande découverte encore sans nom, la route qui doit mener au radium, ne sera pas faite par une Marie solitaire ou un Pierre tout aussi solitaire, elle sera faite par « les Curie ».

Le 18 juillet 1898 paraît, en effet, dans les « Comptes-Rendus » de l'Académie, la communication suivante :

Certains minéraux contenant de l'uranium et du thorium (pechblende, chalcolcite, uranite) sont très actifs au point de vue de l'émission des rayons de Becquerel. Dans un travail antérieur, l'un de nous a montré que leur activité est même plus grande que celle de l'uranium et du thorium, et a émis l'opinion que cet effet était dû à quelque autre substance très active renfermée en petite quantité dans ces minéraux...

La communication est signée : Pierre et Marie Curie.

Liés déjà pour la vie et les heures humbles, ils le sont à présent pour l'éternité et la gloire.

5

« Dans notre hangar si pauvre... »

M. C.

Toutefois s'ils sont liés par la gloire, les Curie ne voient pas encore le bout de leurs peines. Financièrement, la situation n'a pas changé : Pierre gagne toujours cinq cents francs par mois, les locaux où le couple travaille ne se modernisent en rien, et, en fin de compte, la substance qu'ils ont découverte, leur « enfant » radio-actif auquel ils viennent de donner le nom de *radium* garde tout son mystère. Il faut d'abord l'isoler, le surprendre comme des policiers surprennent un malfaiteur caché dans une maison, le traquer entre les tonnes de matières inutiles qui le protègent mieux que la muraille de Chine n'abrite les Célestes.

Oh ! sans doute, au début, Pierre Curie est plutôt optimiste. Le radium qu'on trouve dans la pechblende, minerai précieux traité par les spécialistes des usines de Saint-Joachimsthal en Bohême pour en extraire l'uranium, a beau se présenter sous la forme de traces quasi insaisissables, cela ne l'inquiète guère.

— La proportion ? dit-il à Marie. Elle doit être d'un pour cent.

— C'est peu, objecte-t-elle.

— Sans doute, mais pas effrayant. Nous arriverons bien à nous débrouiller avec quelques centaines de kilos.

Hélas, il doit déchanter ! Les recherches se précisant, et la vérité étant cernée de plus près, Pierre découvre que la proportion est en réalité de un pour un million. Dans la pechbende, *l'élément radio-actif ne figure que pour un millionième !* Plus question, du coup, d'emmagasiner la matière première dans un petit laboratoire.

— Mon Dieu ! murmure Marie qui se voit déjà travaillant sur une montagne de pierres et de terre, qu'allons-nous faire ?

Les deux savants sont atterrés. Non seulement, ils devront acheter d'énormes quantités d'un minerai coûteux dont le transport sera forcément onéreux, mais encore il leur faudra se mettre en quête d'un local suffisamment vaste pour recueillir leurs « provisions ».

Eux qui ont toutes les peines du monde à se maintenir dans un laboratoire de fortune !

— Ce n'est pas possible ! s'exclame Pierre dans un moment d'abattement. Jamais, nous ne trouverons l'argent nécessaire, nous ne sommes pas des industriels !

— Et si nous demandions un subside au gouvernement ? propose Marie.

Un éclat de rire cachant mal l'amertume du savant est la seule réponse.

— Des subsides ! ricane-t-il un peu plus tard. J'ai beau connaître fort mal la mentalité des gens qui tiennent les cordons de la bourse nationale, je découvre que tu es encore plus naïve que moi ! Mais l'Etat se moque de nos recherches ! N'oublie pas que c'est un Français,

Fouquier-Tinville, qui a dit : « La République n'a pas
besoin de savants ! » Et Lavoisier montait à l'échafaud.

Oui, que faire ?

Abandonner les recherches ? Ce serait mal connaître l'entêtement des Curie. Sans perdre une minute en
vaines jérémiades, ils se remettent à l'étude.

Et quelques jours plus tard :

— En somme, quand les spécialistes de Saint-Joachimsthal ont retiré l'uranium de la pechblende, les
résidus contenaient toujours du radium ! énonce calmement Marie en relevant la tête de dessus un carnet de
notes sur lequel elle s'est penchée pendant des heures.
Ce n'est pas la pechblende qui nous intéresse, mais les
résidus de la pechblende. Or...

— Or, enchaîne Pierre en posant doucement la main
sur l'épaule de sa femme, si la pechblende coûte cher,
beaucoup trop cher pour nous, son résidu au contraire
n'a aucune valeur commerciale. Ton raisonnement nous
ouvre la voie du salut.

Le même jour, il va trouver un collègue autrichien,
le professeur Suess, qu'il sait entretenir des relations
avec les directeurs de la mine, et il lui explique la situation.

— Qu'en pensez-vous ?

Le professeur fait la moue.

— Ce que j'en pense ? répondit-il après avoir longuement réfléchi. Primo : c'est que les mines de Saint-
Joachimsthal appartiennent à l'Etat ; secundo : c'est que
les résidus peuvent fort bien avoir été dispersés au vent.

Curie ne dit rien. Simplement, sa tête s'est un peu
plus inclinée sur sa poitrine, et son doux sourire a disparu de ses lèvres. L'Autrichien a été brutal.

Il s'en rend d'ailleurs compte.

— Ecoutez ! poursuit-il en posant la main sur le bras
du savant français, je vous expose objectivement la si-

tuation, mais je n'ai pas prétendu que votre projet est irréalisable. Tout à l'heure, je vais écrire à une personnalité de mon pays qui ne manque pas de crédit en haut lieu. Et, mon Dieu : si nous allons au-devant d'un échec de ce côté-là, nous essayerons ailleurs.

Curie n'est rassuré qu'à demi.

— Je vous remercie, mon cher Suess, mais à quoi bon vous donner tant de peine si les résidus ont été liquidés ?

— Pardon ! réplique l'autre, ce n'est qu'une simple supposition de ma part. Le rôle d'un chercheur n'est-il pas justement de vérifier les suppositions qu'il avance ?

Cette fois, ce sont des semaines qui passent. Pierre Curie broie du noir. Lui si doux, si compréhensif, devient hargneux. Ses élèves ne le reconnaissent plus. Ah ! quand donc son collègue autrichien... Il est si nerveux qu'il n'achève même pas sa pensée.

Mais un matin :

— A propos, l'accoste Suess, j'ai reçu une réponse par l'intermédiaire de l'ambassade.

Bonne nouvelle ? Mauvaise nouvelle ? Pierre le regarde droit dans les yeux. Tout le visage de l'Autrichien respire la joie. Bonne nouvelle ! ose conclure le savant français en son for intérieur.

Et en effet :

— Je vous dois mon mea culpa. Les résidus sont entassés dans un terrain vague. De temps à autre, il y a bien quelqu'un qui se demande ce qu'on pourrait en faire, et alors, pendant une semaine, tout le monde se creuse la cervelle en priant le Ciel qu'un chiffonnier de génie se présente à l'usine...

Puis, prenant presque Curie dans ses bras :

— Mon cher, les directeurs de la mine vous bénissent ! Grâce à vous, les voilà débarrassés d'un beau souci. Les détritus sont à vous. Quand les enlevez-vous ?

— Eh! doucement... le calme Pierre. Dites-moi d'abord quelles conditions me font ces messieurs ?

— Conditions ? Il n'y a pas de conditions. Ces messieurs vous en font cadeau !

Première grande victoire ! Pierre se précipite au laboratoire.

— Marie, Marie ! Nous avons la pechblende ! crie-t-il sur le seuil. Seuls les frais de transport nous incombent !

La jeune femme est penchée sur un travail. Elle ne bouge pas, elle ne tressaille même pas. A peine y a-t-il un rapide mouvement de la main qui demande quelques instants de patience. Puis, au bout de cinq minutes, elle relève la tête, regarde enfin son mari et lui sourit.

— Pierre, je suis si heureuse !

Mais Pierre, tout penaud et jouant l'enfant, la taquine :

— Gronde-moi ! je le mérite ! J'ai interrompu ton travail avec la mentalité d'une femme d'ouvrage !

— Vraiment ? Et tu n'as pas honte ?

Mais leur regard trahit une trop grande joie pour qu'on puisse supposer une seconde que c'est sérieux.

Ils sont au ciel.

Marie, la première, redescend sur terre.

— Bien ! dit-elle en s'appuyant du coude sur la table. Nous possédons la matière première. Mais où allons-nous la mettre? Jusqu'ici, toutes nos tentatives ont abouti à un échec.

C'est la vérité même. Pierre Curie est allé frapper aux portes de la Sorbonne. La Sorbonne est grande, de nombreux locaux à usage indéfini peuvent très bien faire l'affaire des deux savants. D'autant plus qu'ils ne demandent pas un endroit luxueux. Ils ont appris à être humbles, conciliants, ils ne sont pas difficiles.

Illusions, illusions !

Un local à la Sorbonne ? C'est absolument impossible ! A moins que... En demandant l'autorisation au Ministère, en se servant de toutes les relations bien introduites qu'on possède, alors, oui, il existe une petite chance... Mais ce ne serait de toutes façons pas pour tout de suite.

— Combien de semaines devrais-je patienter ? questionne Curie.

— Des semaines ? Vous voulez dire des mois ! Mettez-vous dans la tête que vous n'obtiendrez rien avant l'année prochaine...

Il a compris. Il n'insiste pas.

Et une fois de plus, dans leur petit laboratoire de la rue Lhomond, les deux savants s'interrogent.

— Qu'allons-nous faire ?

La question devient angoissante. Pierre Curie a écrit en Autriche. L'affaire est en ordre. Il est même allé trouver un agent en transports. L'expédition de la pechblende est imminente. Il faudra bien la verser quelque part !

— Je vais en parler à Schutzenberger, dit tout à coup Pierre.

Schutzenberger est le directeur de l'école de Physique de la rue Lhomond. C'est lui qui a cédé aux Curie le laboratoire dans lequel ils travaillent. C'est lui qui a permis à Marie d'effectuer ses recherches aux côtés de son mari. Homme intelligent, il est aussi homme compréhensif. Pour lui, les travaux du jeune couple sont quelque chose d'important.

Déjà Pierre est dehors, dans la cour qui sépare le laboratoire des bâtiments administratifs.

— Un moment !

Il se retourne. C'est Marie qui le rappelle. Il la voit dans l'encadrement de la porte, avec sa vieille robe de travail, son tablier sévère mais immaculé, avec ses cheveux blonds ramenés sur la nuque. Comme il l'aime ainsi ! Comme elle est belle, sa femme ! Il voudrait que leurs regards se croisent pour qu'elle puisse lire dans ses yeux à quel point il est demeuré l'amoureux des premiers jours, le jeune professeur rougissant dans le salon de monsieur Kowalski, le marié tout neuf filant à bicyclette vers le bois de Meudon ou la forêt de Domont. Mais Marie regarde ailleurs.

Du côté des remises.

« Que peut-elle bien avoir vu ? s'interroge Pierre. Il va le savoir tout de suite.

— J'ai une idée ! dit-elle à voix basse. Je ne sais ce que tu en penseras, mais il me semble qu'à défaut de nous donner satisfaction, elle nous tirera d'embarras.

— Laquelle ?

— Pourquoi ne nous installerions-nous pas là, dans ce hangar ?

Et d'un mouvement de la tête, elle attire l'attention de son mari sur une immense baraque de bois qui cerne la cour par tout un côté.

— Il y aurait suffisamment de place pour la pechblende.

— Mais c'est une ruine ! s'exclame Pierre.

— Nous n'avons pas le choix.

Il ne dit plus rien. Il sait que Marie a raison. La baraque, lui-même y a déjà songé à diverses reprises, mais en chassant aussitôt cette idée. C'est que de l'endroit où il travaille dans le laboratoire, il l'aperçoit bien. Il l'a vue en été couverte de poussière, brûlante ; il l'a vue en hiver, couverte de boue et de neige, glaciale. Et Marie voudrait faire de la recherche scientifique dans cet endroit nauséabond ?

— Un simple artisan refuserait, objecte-t-il de sa voix douce.

— Peut-être ! Mais parles-en quand même à Schutzenberger en espérant qu'il aura une contreproposition à te faire.

Devant le directeur, Pierre parle d'abord simplement d'un local.

— Pourvu qu'il soit grand ! précise-t-il. Le reste est accessoire.

— Je sais, je sais ! fait gentiment Schutzenberger. Toutefois, je regrette pour vous que l'accessoire ne soit pas l'essentiel, et vice-versa. Vous n'ignorez pas que le problème numéro un, à Paris, est précisément celui de l'espace. Ici, c'est comme partout : nous manquons de place !

Pierre a compris. Alors en désespoir de cause :

— Et le hangar qui se trouve de l'autre côté du laboratoire, au fond de la cour ?

— Quoi ! s'exclame Schutzenberger avec un étonnement non feint. Vous iriez là-dedans ? Il y a bien longtemps, les carabins de la faculté de médecine l'utilisaient comme salle de dissection. Aujourd'hui, l'étudiant le moins scrupuleux estimerait indigne d'y découper un cadavre. Et vous ?... Non, ce n'est pas possible.

Pierre insiste. Tout de même, on pourrait aller voir, jeter un simple coup d'œil par acquis de conscience.

Schutzenberger n'est pas contrariant.

— Si vous voulez, finit-il par concéder. Allons-y tout de suite.

Il ne doit même pas demander la clef au concierge. La porte ne ferme plus. Il suffit de la pousser en s'aidant de l'épaule.

La lumière du jour pénètre par le toit qui est vitré. La pluie aussi pénètre par là, entre les fentes, et aux endroits où le carreau manque. On croit descendre dans une cave humide.

— Le soleil, quand il y en a, doit vite réchauffer la pièce ! se console Curie.

— Le soleil ! ricane le directeur. Ah oui ! Une boule de feu qui vous tombe sur le crâne ! Il faut un vélum pour tempérer son ardeur. Nom d'une pipe ! ...

Schutzenberger a failli dire un gros mot. Le soleil n'est nullement en cause, mais le plancher du hangar. Ou plus justement le bitume qui en tient lieu et est si abîmé qu'on risque à chaque pas de se fouler la cheville.

— Vous êtes-vous fait mal ? s'inquiète Pierre en soutenant le directeur.

— Non, grâce à vous !

Puis, il éclate :

— Et vous tenez bon ? Vous désirez encore poursuivre vos travaux ici ? Entre un toit crevé et un sol raviné ? Vous contentant pour tout mobilier de ces tables de boucherie, de ce poêle de fonte au tuyau rouillé, et de ce tableau noir échoué ici je me demande bien à la suite de quelles circonstances ?

Il gesticule avec force, il crie à en devenir tout congestionné. En face de lui, parce qu'il reste calme, parce qu'il sourit, Pierre a presque un air ironique de faune amusé. A vrai dire, il n'est pas amusé du tout. Il a le cœur gros. Et les paroles du directeur lui apparaissent comme la sagesse même. Mais la phrase de Marie lui trotte en tête : « Nous n'avons pas le choix ! »

Et alors, avançant la main pour essayer d'imposer le silence à Schutzenberger :

— Je comprends parfaitement votre indignation, lui dit-il. Je la partage même un peu. Néanmoins, je persiste à croire que ce local fera notre affaire. Nous y apporterons quelques aménagements, et ce sera très vivable.

Très vivable ?

Les mois ont passé. Schutzenberger a donné son consentement. Dans la cour et au fond du hangar, la pechblende étale sa masse brune à laquelle des aiguilles de pins sont demeurées accrochées. C'est l'hiver.

— Pierre ! s'écrie joyeusement Marie, aujourd'hui il va geler ! Quelle chance !

Les cheveux de Marie ont perdu de leur éclat. Quant à ses joues, elles ont maigri, elles se sont creusées. Une couleur de terre a remplacé le teint frais de naguère.

Il va geler, a-t-elle dit, quelle chance !

Cela signifie que la pluie va cesser de pénétrer dans le local, que les traitements pourront être faits dans la cour en toute quiétude, sans devoir se précipiter sur les appareils pour les mettre à l'abri à chaque menace d'ondée. Cela signifie aussi que tous les quarts d'heure, quand le corps refuse de continuer, quand les doigts s'engourdissent, il faudra rester quelques instants contre un poêle chauffé à blanc dont les effets bienfaisants ne dépassent pas un mètre.

— Mais c'est très vivable ! disent Pierre et Marie Curie à ceux qui viennent les voir, emmitouflés dans leur manteau et leur cache-nez.

Ils le diront pendant quatre ans. De 1898 à 1902. Tout le temps que dureront leurs recherches. Et pendant quatre ans, ils avaleront la poussière de la pechblende, ce qui est peu, mais aussi les émanations des gaz nuisibles dégagés par les divers traitements qu'ils font subir à la matière première. Quand ils suffoquent, quand ils ont atteint la limite de ce qu'ils peuvent supporter, Marie ou Pierre propose :

— Si j'ouvrais une fenêtre ?

— Très bien, répond l'autre. Et tant que tu y es, ouvre aussi la porte. Un courant d'air nous soulagera.

Courant d'air de glace, courant d'air chargé d'humidité, peu importe ! Les émanations viciées sont chassées, on respire un peu mieux.

Parfois, l'urgence d'un travail retient les Curie dans cet enfer au-delà des heures prévues. Aucune remarque, nulle plainte ne passent leurs lèvres. Simplement s'interrompant quelques instants, Marie se dirige vers le poêle où elle prépare un repas sans prétentions. Et c'est debout, continuant à traquer le radium, qu'ils mangent... Quoi ? Ni l'un ni l'autre ne pouvait le dire.

Ils vivent comme des drogués, inconscients du labeur fourni, entrant peu à peu dans une sorte d'indifférence aux conditions de travail qui sont les leurs.

Il est vrai qu'ils sont parfaitement heureux.

Plus tard, beaucoup plus tard, Marie Curie au sommet de la gloire, l'écrira en toutes lettres :

Pourtant, c'est dans ce misérable vieux hangar que s'écoulèrent les meilleures et les plus heureuses années de notre vie... Je passais parfois la journée entière à remuer une masse en ébullition, avec une tige de fer presque aussi grande que moi. Le soir, j'étais brisée de fatigue...

Oui, brisée de fatigue, malade, épuisée, et pourtant plus satisfaite d'elle, plus heureuse que la plupart des gens qu'elle croise dans les rues de Paris en retournant au logis du boulevard Kellermann où le ménage s'est installé après avoir quitté la rue de la Glacière.

■

Tout le monde comprend-il au cours de ces années d'un siècle finissant, l'importance des travaux accomplis par les Curie ? Tout le monde, entendons-nous ! Les savants, les professeurs, les collègues de Pierre, les spécialistes, bref, les cerveaux capables de suivre sérieusement l'œuvre scientifique en voie d'achèvement.

Un physicien de la Sorbonne dit à un autre :

— J'ai lu la dernière communication des Curie. C'est très intéressant, néanmoins je reste sceptique. Je me ferai une opinion quand ils auront atteint un résultat définitif.

Un chimiste à un collègue :

— Moi, mon vieux, par principe je crois à l'existence d'un corps nouveau quand ce corps est examiné, pesé, confronté, mis en flacon et pourvu d'un poids atomique. Tu as vu du radium, toi ? Non, eh bien ! ta réponse me suffit.

La solitude des Curie n'est pourtant pas totale. Autour d'eux, à l'école, à la Sorbonne, dans les laboratoires, des jeunes commencent à se passionner pour leurs recherches. Et un jour de l'année 1900 :

— Je m'appelle André Derbiene. Puis-je avoir un entretien avec vous ?

Un jeune homme se tient devant Pierre Curie, très à l'aise, souriant, la flamme de l'enthousiasme dans les yeux. Il est préparateur chez le professeur Friedel, et quand Pierre Curie aura pris ses renseignements, il saura que Friedel le tient en haute estime.

— Un garçon qui a de l'avenir !

Ce garçon qui a de l'avenir veut travailler avec les Curie. La radio-activité le passionne. La vision nouvelle de la science que les deux savants de la rue Lhomond offrent au monde transforme ce chercheur avide en un autre « moine du labo ».

Et on l'accepte.

Les Curie n'auront pas à s'en plaindre. Avant même que le radium ne soit isolé, Derbiene découvre un autre radio-élément : l'actinium.

Avec le polonium, surpris par Marie dans sa gangue de pechblende en même temps que le radium, mais moins radio-actif que celui-ci, les nouveaux corps sont maintenant au nombre de trois.

Trois éléments, trois chercheurs.

Ils n'en resteront pas là. Le mouvement est donné, de partout à présent des techniciens se présentent au hangar, offrant leurs services, leur intelligence, leur savoir.

Un groupe se forme. Pierre et Marie sont les « maîtres ». Des « maîtres » entourés de disciples fervents. Sur la table, la matière traitée devient de plus en plus riche en radium. Tout ce qui est inutile s'en va peu à peu...

« Le temps de la pureté approche ! »

Qui a dit ça ? Peu importe. Un des jeunes qui entourent les deux savants. Dans les moments de répit, de longues conversations se développent au tableau noir, Marie verse le thé, souriante et douce, Pierre bavarde utilement et trouve un véritable réconfort à voir les nouveaux s'échauffer sur un problème débattu.

Mais oui, la vie est belle !

Vont-ils au théâtre ? Au concert ? Voient-ils des gens ?... Jamais. De 1898 à 1902, la science est le seul divertissement des Curie. Il y a bien la petite Irène qui devient une jolie fillette. Marie s'en occupe jusqu'à neuf heures du matin. Par chance, la gamine possède un caractère accommodant et la santé de fer de Marie Curie... Pas de pleurs, pas de « mama... mama » quand sa mère quitte la maison du boulevard Kellermann. Les rouages de l'inhumaine machine fonctionnent admirablement.

Bronia a quitté Paris. Avec son mari, le Dr Dluski, elle s'est mise dans la tête d'ériger un sanatorium en Pologne. N'est-elle pas la sœur de Marie Curie ?

Par contre, le vieux docteur Curie, le père de Pierre, s'est décidé à abandonner son pavillon de Sceaux pour venir habiter au boulevard Kellermann. Après neuf heures du matin, quand les deux savants sont entrés dans leur univers de la rue Lhomond, c'est lui qui s'occupe d'Irène. Quand il fait beau, il est tout heureux de la promener dans les allées du Luxembourg...

A côté de l'existence éreintante de Pierre et de Marie Curie apparaît une vie plus bourgeoise, plus normale.

Une fois leurs travaux achevés, sauront-ils la découvrir avec la même passion que le radium ?

■

Car tout arrive, et un jour de l'année 1902, Marie l'entêtée peut enfin s'exclamer :

— Pierre ! J'ai isolé le radium...

Il est deux heures de l'après-midi. Un décigramme de radium pur vient d'être préparé dont Marie a déterminé le poids atomique : 225.

Elle ne peut détacher son regard de la merveilleuse substance. La sensation qu'elle vient de mettre au monde un être vivant la pénètre de plus en plus. Pendant quatre ans, elle a porté cet enfant-là ! Quatre ans de souffrance pour lui donner le jour !

L'heure du départ venue, elle n'a pas encore réussi à secouer l'enchantement.

— Marie ! murmure son mari. Marie, il nous faut rentrer.

Mais la jeune femme :

— Encore un moment, Pierre. Je suis si heureuse. Rends-toi compte ! demain nous pourrons annoncer au monde que le radium existe vraiment ! Les incrédules devront se taire !

Et après le dîner, dès que la petite Irène a été mise au lit :

— Si nous retournions là-bas ?

Pierre n'osait le dire, mais le même désir le poursuit. Aller là-bas, revoir le nouveau-né !

Vite, ils mettent leur manteau.

— Vous sortez ? s'étonne le vieux docteur Curie.

— Pas pour longtemps, père, répond le savant. Après les émotions de la journée, nous avons besoin de marcher un peu.

Par une pudeur qu'il ne s'explique pas lui-même, Pierre ne veut pas avouer cette curiosité enfantine, ce mouvement de gosse qui retourne sans cesse aux jouets offerts par le père Noël.

Pourtant, en disant qu'ils ont besoin de marcher un peu, il ne ment pas. Il pourrait héler un fiacre, il n'y songe même pas. S'engageant dans de petites rues obscures, qu'ils parcourront bras dessus, bras dessous. Pierre et Marie se dirigent d'un pas régulier vers l'école de la rue Lhomond.

Il y fait tout noir.

— Qui est là ? demande le concierge surpris.

— Rien que nous ! répond Marie en riant. Nous passons un moment au hangar.

Pourvu que le bonhomme ne propose pas de les accompagner !

Mais non, il fait trop bon dans sa loge et la lecture des dernières nouvelles le passionnent plus que le radium.

Le radium, ce sera pour demain, quand les journaux en parleront. Alors seulement, il sera fier d'annoncer aux habitués de son bistrot :

— Les Curie, si je les connais ? Et comment ! J'étais là quand ils se sont installés dans le grand laboratoire.

Car pour lui, la sinistre baraque ne pourra plus être qu'un grand laboratoire. Découvre-t-on une des merveilles de la science dans un local dont personne ne veut ?

64

Plusieurs fois, sur les pavés irréguliers de la cour, les Curie ont failli tomber. Mais les voici enfin devant la porte cadenassée.

Alors, l'éternelle question monte aux lèvres de Pierre, la question que des milliers de gens se posent à chaque moment de la journée, quelles que soient leurs préoccupations :

— Bon Dieu ! où ai-je fourré cette clef ?

Exactement comme s'il s'agissait d'entrer dans un local ordinaire et que le moment eût été d'une banalité quotidienne.

Deux minutes de recherches, et il la trouve. Marie, qui connaît la distraction de son mari, ne s'est pas affolée. Elle a attendu sans dire mot, sans impatience.

Mais maintenant qu'elle se trouve dans ce hangar où elle a usé ses forces, une émotion inattendue s'empare d'elle, beaucoup plus forte que dans la journée, presque gênante.

Marie est au bord des larmes.

— Pierre, murmure-t-elle, n'allume pas tout de suite !

Le radium est là, sur la table, dans de minuscules bocaux de verre. Et, ô merveille ! il scintille.

— Regarde, regarde !

C'est Marie qui le voit d'abord. Dans l'obscurité de la pièce, les éléments radio-actifs se sont métamorphosés en étoiles bleues.

— Pierre !

La sinistre baraque des premières années, le grand laboratoire qu'elle devient aux yeux du concierge, est cette nuit, et pour une nuit, un lieu de féerie, la crèche de Noël des croyants, le banc public des amoureux sincères, le lit d'herbe qu'à la fin d'une chaude journée d'été découvre le marcheur solitaire.

Jamais les Curie ne seront plus heureux que cette nuit-là...

Doucement, Pierre referme la porte. Marie a fait quelques pas dans la cour, en trois enjambées son mari la rejoint. Il pose la main sur son épaule.

Et c'est ainsi qu'ils rentreront chez eux, par les mêmes rues sombres, en silence.

Entre 1898 et 1902, entre la découverte du radium et son isolation, Marie a maigri de sept kilos. De son côté, Pierre a enduré des crises violentes caractérisées par des douleurs atroces dans les membres. Tous les deux ont dû faire face à des défaillances physiques, qu'ils se sont d'ailleurs appliqués à soigneusement se cacher.

Mais cette nuit-là, il n'y a plus de maladies. Un sang nouveau circule dans les veines de Pierre et de Marie. Une confiance sans limite dans l'avenir les habite et les protège contre la lassitude. Bien sûr, Marie avouera un jour que si elle avait pu travailler dans un autre local que celui de la rue Lhomond, les recherches auraient été écourtées de deux ans, mais aujourd'hui ce ne sont plus là que des détails.

On leur apprendrait que le hangar a été détruit à la suite d'un accident, ils sentent qu'ils en éprouveraient de la peine.

Pendant une minute, avant de pénétrer dans la maison endormie du boulevard Kellermann, ils se demandent même s'ils ne vont pas retourner une nouvelle fois à l'école ; pour y passer la nuit.

— Tu ne penses pas que le concierge nous prendrait pour des fous ? objecte Pierre habité encore par une lueur de lucidité.

— Evidemment, répond Marie en soupirant. Ce ne serait pas sérieux !

Une clef tourne comme à regret dans la serrure...

6

« Elle est pourtant dure la vie que nous avons choisie ! »

P. C.

Le retentissement de la découverte des Curie est énorme. De partout, les félicitations affluent. De partout aussi, d'Allemagne, d'Angleterre, d'Autriche, du Danemark, des savants s'informent, prêts à mettre leurs propres travaux au pas.

En quelques mois, le radium livre ses secrets. Cette poudre blanche qui ressemble à du sel de cuisine à l'état de chlorure possède un rayonnement deux millions de fois supérieur à celui de l'uranium. Pour arrêter les radiations, il faut fabriquer un épais mur de plomb.

Mur indispensable, car le radium attaque. Plantes, animaux, personnes, contaminés par la présence du terrible élément, deviennent radio-actifs.

Mais, s'il attaque, le radium guérit aussi.

Un jour, Henri Becquerel pénètre furieux dans le laboratoire où Pierre Curie travaille.

— Une belle saloperie, votre radium ! hurle-t-il en jetant sur la table un tube de verre qui contient le corps nouveau.

Pierre, plutôt surpris, s'informe.

— Je l'avais glissé dans la poche de mon gilet ! continue à vociférer Becquerel. Et voyez ! Malgré la protection de l'étoffe, j'ai été brûlé !

Pour Curie, ce n'est pas tout à fait une découverte. Il se souvient que deux savants allemands, Walkhoff et Giesel, ont publié récemment une note sur les effets physiologiques de certains corps radio-actifs. Au moment même, absorbé dans d'autres recherches, il n'y avait pas prêté toute l'attention requise, mais le phénomène se produisant maintenant quasi sous ses yeux, et la bonne farce que « son » radium vient de jouer à Becquerel l'ayant excité, il lui vient une étrange pensée.

« Après tout, se dit-il, pourquoi ne ferais-je pas un petit essai sur ma propre personne ? Elle peut très bien servir de cobaye. »

Aussitôt dit, aussitôt fait. Sans consulter personne, mettant à profit l'absence de sa femme, Pierre expose son bras à l'action du radium.

Une lésion apparaît. Nullement impressionné, il prend son carnet de notes et décrit l'évolution du mal en termes précis. Pas une seconde, il ne pense qu'il s'agit de lui et que les conséquences de son geste, du domaine de l'inconnu, peuvent être graves.

La peau, observe-t-il, est devenue rouge sur une surface de six centimètres carrés ; l'apparence est celle d'une brûlure, mais la peau n'est pas, ou à peine, douloureuse. Au bout de quelque temps, la rougeur, sans s'étendre, se mit à augmenter d'intensité ; le vingtième jour, il se forma des croûtes , puis, une plaie que l'on a soignée par des pansements ; le quarante-deuxième jour, l'épiderme a commencé à se reformer sur les bords, gagnant le centre, et cinquante-deux jours après l'action des rayons, il reste encore à l'état de plaie une surface d'un centimètre carré, qui prend un aspect grisâtre indiquant une mortification plus profonde.

Ajoutons que Mme Curie, en transportant dans un petit tube scellé quelques centigrammes de matière très active a eu des brûlures analogues, bien que le petit tube fût enfermé dans une boîte métallique mince.

En dehors de ces actions vives, nous avons eu sur les mains, pendant les recherches faites avec les produits très actifs, des actions diverses. Les mains ont une tendance générale à la desquamation ; les extrémités des doigts qui ont tenu les tubes ou capsules renfermant des produits très actifs deviennent dures et parfois très douloureuses ; pour l'un de nous, l'inflammation de l'extrémité des doigts a duré une quinzaine de jours et s'est terminée par la chute de la peau, mais la sensibilité douloureuse n'a pas encore complètement disparu au bout de deux mois.

La note est adressée à l'Académie qui prend acte. Rendue publique, elle touche quelques médecins qui se passionnent immédiatement pour ce nouveau problème. Ils viennent trouver Curie.

— Vous devriez continuer vos expériences avec nous, proposent-ils. Bien entendu, non plus sur des êtres humains, mais sur des animaux. Elles peuvent nous réserver des surprises.

Pierre accepte. Et bientôt, plus qu'une surprise, c'est une certitude : le radium utilisé par des mains expertes, ne détruit pas aveuglément. Il s'attaque aux cellules malades. Appliqué sur des tumeurs, sur des formes du cancer, il reconstitue l'épiderme. Le radium est utile !

Quel chemin parcouru depuis le début ! Marie cherchait simplement un sujet de thèse pour finir en beauté ses études. Elle tombe sur une communication de

Becquerel, quelques pages, peu de choses en somme, mais une matière intéressante. Au surplus, personne encore en Europe ne s'était penché sur elle. Marie se dit : « Pourquoi pas moi ? »

Puis, ce sont les ennuis matériels. Où trouver un laboratoire convenable ?

Et, quand la découverte est faite, quand le radium devient plus qu'une simple hypothèse, voici que surgit le vrai problème, celui de l'isolation. Autres ennuis matériels : où trouver le minerai à bon compte ? Où le stocker ?

Quatre années passent. Exaltantes, mais combien pénibles !

Quatre années au bout desquelles éclate alors l'inattendu : le radium guérit. Le radium passe du domaine de la science pure à celui de la thérapeuthique, le radium est une matière qui intéresse toute l'humanité.

Après les savants, après les médecins, arrivent les hommes d'affaires, les industriels avisés, les magnats. Le radium entre dans les circuits commerciaux, des usines sont montées où des milliers d'ouvriers ne s'occupent que de son traitement, des revues fondées dans lesquelles il n'est question que de lui. Le radium, pour monsieur-tout-le-monde, *c'est quelque chose !*

Et, par-dessus le marché, ce quelque chose prend une valeur qui laisse pantois : le radium est une des substances les plus chères au monde ! Sa cote s'élève à 750 000 francs or le gramme !

— Le gramme ! s'exclame-t-on dans la rue. Oui, le gramme !

Du coup, les imaginations travaillent. Beaucoup se représentent ce ménage de savants, ces Curie, penchés sur « leur » découverte, éblouis par la fortune fabuleuse qu'ils ont fabriquée de leurs mains, et devant laquelle ils doivent faire sans aucun doute des projets sensationnels !

S'ils savaient !

En réalité, un étranger à qui l'on permettrait de pénétrer dans l'intimité de Pierre et de Marie serait ahuri. Et ahuri est un mot faible ! Car le spectacle qu'il y verrait ne correspondrait en rien à l'idée qu'il s'en fait certainement.

Quels changements les Curie ont-ils, en effet, apportés à leur genre de vie ? La réponse est effroyablement simple : aucun !

Les Curie sont restés les Curie, c'est-à-dire des gens très simples, très naïfs, qui sortent peu, qui mangent mal, qui s'habillent comme des ascètes, qui ne dépensent rien.

Pour eux, l'argent n'a aucune valeur.

En 1903, ils reçoivent une lettre de la Société Royale de Londres. Pour les grands services rendus à la science et à l'humanité, le président de cette société leur apprend qu'il a l'honneur de leur décerner une haute récompense : la médaille Davy.

Pierre :

— Quelle corvée ! Me voilà obligé d'aller en Angleterre, jouer le clown dans des salons, alors que j'ai tant de travail ici. Ces gens ont le don de me faire perdre mon temps !

Marie :

— Moi, je ne me sens pas très bien ! Je n'irai pas.

A Londres, où Pierre s'est donc rendu seul, on lui offre une très belle médaille en or massif. Un gros œuf jaune et brillant. Une valeur !

Mais de retour au boulevard Kellermann :

— Qu'allons-nous en faire ? demande-t-il en la maniant gauchement. Je ne puis tout de même pas la porter autour du cou. On me prendrait pour un huissier !

Marie hausse lentement les épaules.

— C'est en effet un objet encombrant, répond-elle. Ne me le propose pas, je ne suis pas femme à porter des bijoux !

Pierre le sait. Il ne proteste même pas. Son regard erre dans l'appartement, se pose sur quelques meubles de famille que le couple a bien voulu accepter après mille supplications, s'arrête sur Irène.

Irène a six ans et ses soucis sont ceux d'un enfant. Elle joue avec sa poupée. Mais sentant qu'on l'observe, elle trouve brusquement moins d'intérêt dans son univers et tend les bras à son père. Le geste est câlin, coquet. Pierre est touché. Perdant son masque de savant soucieux, il sourit à sa fille, il devient un « papa ».

Lui aussi tend les bras, avec la médaille d'or qui se balance au bout de sa main.

Et alors, simplement, comme l'idée lui vient :

— Tiens, Irène ! s'esclaffe-t-il. Un jouet pour toi ! Attrape !...

La petite est agile. Au vol, elle s'empare de la masse d'or. On ne la lui enlèvera plus...

Mais le soir !

Le soir venu, quelques amis intimes ont sonné à la porte, désireux d'adresser de vive voix leurs félicitations aux heureux détenteurs de la médaille Davy. On se serre la main, on bavarde, on prend le thé, on rit, mais en fin de compte la curiosité l'emportant, Georges Sagnac, un des meilleurs assistants de Pierre s'exclame :

— Vous êtes des cachotiers ! Tous les journaux annoncent que vous avez reçu un bijou merveilleux, nous nous empressons de vous montrer notre joie, mais il y a plus d'une heure que nous sommes ici, et toujours pas de médaille ! Où est-elle ?

— Ils l'ont vendue ! dit sombrement un plaisantin.

— Ils ont peur qu'il n'y ait un pickpocket parmi nous ! avance un autre.

Pierre et Marie s'amusent beaucoup. C'est trop drôle !

— Non, finit par interrompre le maître du logis, vous n'y êtes pas, et vos reproches manquent singulièrement de poids. Le bijou est sous vos yeux depuis que vous êtes entrés.

— Comment !... Quoi !...

L'étonnement est grand. On cherche sur le cou de Marie, du côté de la cheminée...

— Non, non, vous gelez ! s'exclame le couple.

Nouveaux regards, nouvelles recherches vaines.

— Je donne ma langue au chat ! déclare Sagnac.

Alors, Marie le prend par la main pour le mener jusqu'à la petite Irène qui joue tranquillement dans un coin avec son œuf d'or.

— Voilà la médaille ! Pierre la lui a donnée ! Si vous voulez la voir de plus près, il faut lui demander la permission.

L'assistance est à ce point surprise qu'un silence plane pendant plusieurs secondes.

Ces Curie, pense-t-on, ils n'en feront jamais d'autres !

Un peu plus tard, pourtant, Sagnac prenant le maître à part aborde un sujet grave :

— Il faut que vous m'écoutiez ! L'histoire de la médaille est une gaminerie, mais il n'y a pas que cette histoire-là ! J'ai des reproches à vous formuler dont vous ne pourrez, cette fois, nier le bien-fondé. Depuis plusieurs jours, j'observe madame Curie. Sans qu'elle s'en soit douté, au laboratoire, j'ai longuement examiné son visage. L'altération de ses traits m'a frappé. Je vous

jure qu'elle se surmène, qu'elle a dépassé depuis longtemps la limite de ses forces.

Et comme Pierre fait un geste :

— Non, non, laissez-moi parler ! Et surtout ne prenez
pas mes observations de mauvaise part. C'est l'affection
réelle que j'éprouve pour vous et Marie qui me donne
l'audace de parler comme je le fais. Vous devez surveiller votre femme, sinon cela finira mal, très mal même.
Une question : mange-t-elle à sa faim ?

— Son appétit n'a jamais été très grand, et puis, j'estime qu'elle est assez grande pour savoir ce qu'elle fait !
se rebiffe le savant.

— Voilà votre erreur. Votre femme n'est pas du tout
assez grande pour savoir ce qu'elle fait. Dans le domaine
pratique, c'est encore une enfant. Vous devriez l'obliger à se nourrir. Elle a besoin de viande rouge, de vin,
de fruits, de légumes frais.

— Mais...

— Et vous, vous êtes aussi un enfant ! Toutefois, comme il faut bien s'adresser à l'homme...

Sagnac est réellement furieux. Il ne peut achever sa
phrase. Il a trop de choses à dire. Comment, Pierre
Curie ose lui tenir tête !... Pierre Curie proteste !... C'est
ce qu'on va voir...

L'élève devient brutal :

— A quelle heure mangez-vous ?

— Nous n'avons pas d'heure, répond piteusement le
maître. Nous mangeons quand cela se présente...

— Première erreur ! Car votre estomac énervé fonc-
tionne mal. Autre chose : de quoi parlez-vous en mangeant ?

— Voyons ! de ce qui nous préoccupe ! Du radium,
de l'actinium, du polonium...

— C'est ce que je pensais !

— Oh ! il arrive aussi que nous lisions en mangeant, l'exercice est très paisible... croit se sauver Pierre.

Il n'en revient pas quand l'autre explose :

— Ça c'est le comble ! Lire en mangeant ! Mais, mon cher, vous ne résisterez plus cinq ans à ce régime-là ! Il faut absolument que vous adoptiez une discipline rigoureuse. Il faut que...

Et Sagnac explique, donne ses raisons, propose quelques règles d'hygiène... Et Curie promet, répond par des « oui, oui » un peu énervés, jure ses grands dieux que ça va changer.

Naturellement, rien ne change. Midi et soir, le couple procure le même étonnement douloureux à la servante qui est aussi la cuisinière. Elle a beau préparer des plats savoureux, c'est comme si les deux savants mangeaient du vent.

Un jour, pourtant, elle ne peut résister au désir de demander à Pierre :

— Et l'entrecôte que vous venez d'avaler, elle ne mérite pas un compliment, non ? Depuis des semaines, je me tue à vous servir des viandes tendres, et rien, pas un mot ! Si vous croyez que c'est gai ?

Mais lui, pince-sans-rire :

— Vous dites que j'ai mangé une entrecôte ? Comme c'est curieux ! Je ne m'en suis absolument pas rendu compte... Et toi, Marie ?

Elle aussi entre dans le jeu :

— Comment ? Tu dis ?

— Sais-tu si tu as mangé une entrecôte ?

— Une entrecôte ! C'est bien possible ! Que veux-tu que cela me fasse !

Ce jour-là, Les Curie ont failli perdre leur bonne...

Au rayon des vêtements, c'est une autre comédie. Marie doit passer sa thèse, la célèbre étude : « *Recherche sur les substances radio-actives* ». A cette occasion, sa sœur Bronia est revenue à Paris. Mais le matin du grand jour :

— Marie ! s'exclame-t-elle, effrayée... Qu'est-ce donc là ?

— Quoi ?

— Ce que tu portes sur toi ? Tu ne vas pas prétendre que cette robe sans couleur, vieille de cinq ans, que nous avons achetée ensemble, alors que je vivais encore à Paris, oui, oui, je me souviens, ne le nie pas, que cette robe-là va franchir le seuil de la Sorbonne sur ta petite personne ?

Marie ouvre de grands yeux étonnés. De quoi donc sa sœur se mêle-t-elle ? L'obligera-t-on à jouer les mondaines ?

Mais Bronia n'est pas décidée à s'en laisser imposer par Marie.

— Nous allons partir tout de suite. Je me fais fort, en une heure de temps, de te trouver dans les environs de la Sorbonne une robe seyante. Allons, ne fais pas cette moue !

Bronia ordonne. Bronia secoue Marie. Il y a des portes qui claquent. Mais, finalement, tout s'arrange, et le futur « docteur » accepte de suivre sa sœur aînée dans un magasin de nouveautés.

Bien entendu, pas un mot à la vendeuse ! Pas un regard vers les étoffes offertes ! Que Bronia décide !

Et quand elle sort de la boutique, dans sa robe noire en laine et soie, dans sa robe neuve, elle a presque la sensation d'être déguisée. Elle est gênée. Elle pense qu'on se retourne sur sa silhouette et qu'on se moque d'elle.

— Qu'as-tu fait de ma vieille robe ? demande-t-elle soudain.

— Je l'ai laissée dans le salon d'essayage ! avoue Bronia en riant. Ainsi, je suis certaine que tu ne la mettras plus.

■

Oui, voilà comment se comportent les Curie !

Aucun raffinement ?

C'est autre chose. Ils appartiennent à un autre monde. Sans le faire exprès.

Leur aventure avec Loïe Fuller est mémorable !

Loïe Fuller est une danseuse assez extravagante qui s'exhibe aux Folies-Bergères dans un numéro « voiles et lumières ». Pour l'époque, c'est une nouveauté. Les critiques d'art parlent de cette nymphe américaine avec enthousiasme. Tout Paris veut voir la merveille !

Comme d'habitude, les Curie seuls ne savent rien, n'ont rien lu, rien entendu.

Loïe Fuller, par contre, n'ignore pas la renommée des deux savants. Et quand elle apprend que le radium est phosphorescent, imaginant que des « ailes de papillons au radium » ajouteraient un élément inédit à son spectacle, elle leur écrit une longue lettre.

C'est Pierre qui ouvre le courrier. Les renseignements très précis que lui demande sérieusement la danseuse le laissent d'abord tout interdit, puis, passant la lettre à Marie, il éclate de rire. Mais Marie :

— Nous devons répondre à cette personne ; son projet est chimérique. Le silence serait pour elle une grande désillusion. Je sens que c'est une artiste sincère.

— Je le veux bien ! Et si elle nous ennuie ?

— Tant pis !

Ils lui écrivent donc, avec leurs regrets, que des « ailes de papillons au radium » offriraient un certain danger pour la personne qui devrait les porter.

Quelques jours plus tard, nouvelle lettre.

— Qu'est-ce que je te disais ! commence Pierre.

Mais au fur et à mesure qu'il prend connaissance du contenu, son regard s'éclaire, et c'est une fois de plus en riant qu'il tend le pli à sa femme.

— Non, c'est trop drôle ! Pour nous remercier, Loïe Fuller veut danser chez nous, un soir, et rien que pour nous ! Tu t'imagines ?

— Pourquoi pas ? réplique Marie. C'est un geste charmant qu'elle a là. Je connais peu d'artistes qui l'auraient. Nous remercier, simplement parce que nous lui répondons, ma foi ! je trouve cela très... très chic !

Donc, Pierre et Marie acceptent l'invitation. Et un midi, ils voient arriver chez eux une fille au masque asiatique, sans maquillage, habillée très simplement — « presque aussi simplement que moi » pense Marie — et suivie d'une troupe de machinistes.

— Laissez-moi faire ! dit-elle, dans son savoureux accent yankee. Quand vous reviendrez, la maison sera plus jolie qu'un théâtre.

Les savants s'en vont au laboratoire, un peu inquiets tout de même ! Tous ces étrangers chez eux, qu'est-ce que cela va donner ?

Ce que cela va donner ? Le soir venu, un très joli spectacle. Pour Pierre et Marie, assis chacun dans un fauteuil empire, avec, entre eux, la petite Irène juchée sur les genoux du vieux docteur Curie, pour ces trois personnes et demie, Loïe Fuller, la plus célèbre danseuse du moment, l'artiste qui touche un des cachets les plus fabuleux de Paris, se dépense exactement comme si les applaudissements d'une salle archicomble vont saluer ses inventions chorégraphiques.

Plusieurs fois, par la suite, la salle à manger des Curie se métamorphosera encore en une petite salle de music-hall. Car si l'Américaine s'est visiblement « toquée » pour les deux austères savants, ceux-ci de leur côté ne demeurent pas insensibles à son charme. Ils deviendront amis.

Loïe Fuller va chez les Curie, les Curie vont chez Loïe Fuller, ou encore, formant un trio baroque, la reine des Folies-Bergères marchant entre les rois du radium, ils se rendent ensemble chez Auguste Rodin. Dans l'atelier du grand sculpteur, dont l'œuvre à cette époque est quasi achevée, de curieux entretiens se développent parfois. On parle d'art, on parle de science, et l'on finit par découvrir que le fossé entre ces deux aspects de la pensée humaine n'est qu'apparent...

■

Ah ! combien les Curie préfèrent ces distractions-là aux manifestations officielles dans lesquelles ils se trouvent de plus en plus empêtrés.

Chaque fois qu'il endosse son frac, Pierre bougonne :

— Croit-on que je n'aie rien d'autre à faire que d'écouter des discours ineptes, tourner un compliment à je ne sais quelles mijaurées, vider des coupes de champagne ?

Et quand Marie l'écoute :

— Ceux qui nous font mille grâces maintenant seront les premiers à nous reprocher les travaux que leur insistance nous empêche d'achever !

Marie soupire. Elle pense en tous points comme son mari. Autant que lui, elle a le monde en horreur, et ce sentiment s'est exacerbé depuis qu'elle est devenue une femme célèbre.

L'invite-t-on à l'Elysée ? Tandis que Pierre répond le mieux qu'il peut aux questions du président Loubet, Marie lance froidement à une dame qui lui demande :

— Voulez-vous que je vous présente au roi de Grèce ?

— Pourquoi ? Je n'en vois vraiment pas l'utilité.

Le visage de l'autre se décompose. Marie sursaute et

semble comme sortir d'un rêve. Mon Dieu ! C'est à madame Loubet elle-même qu'elle a répondu si cavalièrement ! Vite, il faut réparer.

Et, rougissante comme une élève prise en faute :

— Excusez-moi, j'étais distraite ! Bien sûr qu'il me plairait de m'incliner devant Sa Majesté.

Et tout rentre dans l'ordre...

■

Un jour, pourtant, les Curie vont se trouver placés devant un problème plus important que celui qui consiste à choisir son genre de vie.

Cela se passe un dimanche matin.

Pierre ouvre le courrier. Tiens ! une lettre de Belgique... A en-tête d'une grosse usine de ce pays. Sans mot dire, il en prend connaissance, et voilà que son front se rembrunit.

— Quelque chose de grave ? s'informe son épouse à qui le trouble de Pierre n'a pas échappé.

Le savant hésite. Marie voit très bien qu'il se demande : « Vais-je parler ? Vais-je me taire ? » Mais ce temps d'hésitation ne dure guère. Brusquement, il rejette la lettre sur le guéridon, et, se penchant les mains croisées entre les genoux :

— Marie, commence-t-il de sa voix douce — mais c'est une voix qui ne manque pas de fermeté — Marie, que penserais-tu d'un savant qui, sous prétexte que la technique qu'il a mise au point peut lui rapporter une fortune fabuleuse, refuserait de communiquer sa découverte au monde ?

— Ce que je pense ? Que cet homme a peut-être raison, mais qu'il ne mérite pas, alors, de porter le titre de savant. L'œuvre d'un savant doit toujours être désintéressée.

Le visage de Pierre s'éclaire d'un sourire.

— Je savais que ton opinion serait celle-là, mais je voulais te l'entendre dire. Merci Marie !

— Pourquoi ce remerciement ? s'étonne aussitôt la jeune femme. Je n'ai rien dit qui ne soit tout à fait normal !

— En théorie, sans doute, mais dans la pratique...

Pierre tousse pour raffermir sa voix.

— Voici : une usine me demande une documentation complète sur le radium. Deux solutions se présentent. Ou bien, je donne aux techniciens de cette usine tous les renseignements qu'ils désirent, ou bien je fais breveter le traitement de la pechblende que nous avons découvert, et nous nous assurons tous les droits de fabrication du radium dans le monde.

— Une minute ! l'interrompt Marie. Faire breveter veut bien dire que nous refusons à quiconque le droit de disposer librement de notre découverte ?

— C'est cela !

— Mais, Pierre, ce serait contraire à l'esprit scientifique ! Le radium est à tout le monde !

— Bien sûr !

— Alors... ta première proposition me paraît seule valable. Nous donnons nos renseignements sans contrepartie financière.

— Je suis tout à fait d'accord avec toi. Néanmoins, il y a encore quelque chose sur quoi je dois attirer ton attention. En refusant de monnayer le radium, nous nous condamnons définitivement à la pauvreté. Au contraire, en prenant un brevet, c'est la fortune. Et nous avons une fille. Un jour peut-être aurons-nous encore un enfant. Réfléchis donc !

Marie hausse les épaules.

— C'est tout réfléchi, Pierre ! Irène, dans la vie, s'inspirera de notre façon d'être.

Elle insiste :

— Les physiciens publient toujours intégralement le résultat de leurs recherches. Si notre découverte a maintenant un avenir commercial, c'est là un pur hasard, un hasard dont nous ne pouvons profiter. Le radium va servir à guérir des malades. Il me semble... je suis persuadée qu'il est impossible d'en tirer un avantage d'ordre financier.

Pendant qu'elle parle, Pierre s'est redressé, le cœur débarrassé d'un grand poids. Marie a répondu comme il désirait en son for intérieur qu'elle répondît.

Et, s'asseyant sur le bras du fauteuil, caressant d'une main très lente les cheveux de sa femme :

— J'écrirai dès ce soir au directeur de cette usine.

— Pourquoi pas tout de suite ?

— Parce que, chère petite Marie, murmure le savant en attirant sa compagne contre lui, je t'offre aujourd'hui une promenade à vélo du côté de Clamart. Il est grand temps que nous fassions provision de fleurs fraîches. Notre maison en a besoin...

Mais le dernier mot revient à Marie :

— Je te découvre, réplique-t-elle. Tu as des goûts de luxe !

7

« Pierre, mon Pierre,
tu es là, calme comme
un pauvre blessé... »

M. C.

Quelques années qui passent, quelques
années toujours pareilles : le travail au laboratoire, les
soirées du boulevard Kellermann, le moins de conférences possible, le moins de voyages aussi, le moins de
réceptions. Beaucoup de titres, qu'on ne peut pas toujours refuser, un prix Nobel, les cours à la Sorbonne,
la gloire sans cesse croissante, une autre fillette : Eve.
Et déjà, c'est le printemps 1906.
En cette journée grise du 16 avril, il tombe une pluie
fine que Pierre n'aime pas. Le ciel gris le met de mauvaise humeur, surtout ce gris permanent qui se main-
tient depuis le début du mois.
— Que fais-tu aujourd'hui ? demande Marie de la
salle de bains où elle surveille les ablutions des deux
enfants.
Lui, dans le couloir :
— Journée harassante ! Avec le temps qu'il fait, je

dois trotter d'un coin à l'autre de la rive gauche ! Déjeuner à la faculté des sciences où il y a une réunion de professeurs ; passer chez Gauthier-Villars pour la correction des épreuves ; m'endormir à l'Institut...

— Viens quand même m'embrasser !

Pierre fait demi-tour. La tête de Marie sort de la vapeur de la salle de bains, ses cheveux emprisonnés dans un linge blanc.

— A ce soir !

Le baiser échangé est bref. C'est un baiser de tous les jours, familial et tendre.

— Papa, papa ! crient les gosses.

Mais Pierre n'a vraiment pas le temps. Déjà, il sera en retard.

— A ce soir ! dit-il encore.

De nouveau, le bruit des pas dans l'escalier, et puis, une porte qui claque.

Il est parti !

Dans le grand scénario de la vie réduit à ses lignes essentielles, tous les acteurs jouent des rôles qui se ressemblent : on naît, on fait ceci, on fait cela, un peu moins bien, un peu mieux, et puis, c'est déjà la fin.

Pour un témoin non prévenu, que représente en définitive cet homme qui passe rue Dauphine et qui s'appelle Pierre Curie ? Rien d'autre qu'un monsieur distrait qui ferait mieux de marcher sur le trottoir.

En réalité, ce monsieur distrait est furieux. Sans doute le déjeuner à la Faculté a-t-il été excellent, mais pourquoi, bon Dieu, les ateliers de Gauthier-Villars ont-ils choisi ce jeudi-ci pour se mettre en grève ? En arrivant chez l'imprimeur, le savant a trouvé porte close. Il ne lui reste plus qu'à se rendre à l'Institut où il sera, naturellement, trop tôt !

Déjà, les quais... Soulevant son grand parapluie, Pierre aperçoit, brouillé par l'eau qui tombe, un tableau très animé : tramways bruyants, fiacres plus discrets et plus rapides, parfois une automobile, beaucoup de gens pressés. Mais cet intérêt pour le monde extérieur ne dure guère. Après l'Institut, il devrait faire un crochet par la Sorbonne. Il y a oublié cet ouvrage qui... cet ouvrage dont...

Les pensées de Pierre se referment sur lui.

Sait-il seulement qu'il avance sur la chaussée et qu'un fiacre trottinant devant lui n'offre qu'une protection bien précaire ?

A partir de ce moment, tout ira très vite. Pierre ne sera plus qu'un jouet que la vie, comme un enfant boudeur, brise et jette loin de lui.

L'Institut est à gauche, le fiacre roule à droite. Sans même lever la tête, le savant traverse d'un pas soudain rapide.

Il n'arrivera jamais de l'autre côté.

Un lourd camion, attelé de deux chevaux, vient de s'engager rue Dauphine après avoir franchi le Pont-Neuf à toute allure. Le conducteur a vu le fiacre, mais pas l'homme qui s'avançait derrière. Et, tout à coup, voici qu'il surgit, mince silhouette sous un parapluie, inconscient du mouvement rapide de la chaussée, ignorant les énormes véhicules qui passent dans un bruit de tonnerre.

— Attention ! hurle l'homme en tirant violemment sur les rênes.

Les gens qui passent s'arrêtent, horrifiés.

Pierre a lancé un bras en avant, comme pour retenir une des bêtes. Geste puéril ! Arrête-t-on deux chevaux écumants lancés à fond de train sur des pavés rendus glissants par la pluie ?... Le malheur ne freine jamais sur deux mètres.

Pierre glisse, tombe. Les chevaux passent, sans le piétiner. Voici le camion. Voici les roues. Celles de devant évitent pareillement le savant qui ne bouge pas. L'espace d'un éclair, la foule croit au miracle ! Les roues arrière ne toucheront pas le malheureux. Il en sera quitte pour la peur !

Un témoin, au comble de l'énervement, crie :

— A gauche ! Ta tête à gauche !

Mais il crie encore que déjà l'inéluctable s'est accompli. Une des roues arrière a broyé le crâne de Pierre Curie. La mort est instantanée.

La chaussée se teinte de rouge, et dans la foule, à présent, des poings vengeurs se dressent vers le conducteur qui est enfin parvenu à arrêter son camion.

Il n'est responsable en rien du malheur arrivé. Mais allez faire entendre cela à des badauds surexcités !

Un gardien de l'ordre s'est penché sur Pierre.

— Qui est-ce ? demande-t-on dans un murmure qui va s'amplifiant.

Quelques papiers sont rapidement déchiffrés.

— Pierre Curie ! dit l'agent en pâlissant.

Un seul qualificatif passe ses lèvres :

— Le radium...

La nouvelle se répand comme une traînée de poudre. Une nouvelle qui devient tout de suite : « Le plus grand savant de France est mort », « Le plus grand savant de France a été renversé par un camion qui roulait à toute allure », « Le plus grand savant de France a été tué par une sorte d'énergumène qu'il faudrait fusiller ! »

Le pauvre Louis Manin ! — c'est ainsi que se nomme le conducteur — il se rend compte qu'il va passer un mauvais quart d'heure. La foule s'avance vers son véhicule avec des gestes inquiétants. Il entend crier : « A mort ! A mort ! »

— Mais c'est pas ma faute ! hurle-t-il du haut de son siège. La voie était libre.

La police doit intervenir pour le protéger.

Pauvre foule imbécile ! Au lieu d'être digne, au lieu de s'agenouiller devant le cadavre mutilé de celui qui était, quelques minutes auparavant encore, un homme très doux et très intelligent, non, il faut qu'elle vocifère, il faut qu'elle mette à nu des instincts barbares indignes d'une rue de Paris habitée par mille ans de civilisation.

D'autant plus que l'indignation est facile. Des fiacres passent qu'un agent de police essaie d'arrêter. Essaie ! Car aucun ne veut freiner. Transporter un mort ? Et qui payera les frais de nettoyage des coussins ? Et qui remboursera les heures perdues ?

Oui, tout cela est sordide. Mais tout cela doit être dit, car recouvrir ces faits d'un voile pudique équivaut à les excuser. Il est lâche de ne pas regarder en face ce qui est petit, mesquin, veule, brutal.

■

Dans la salle à manger du pavillon du boulevard Kellermann, quelques amis de Pierre sont réunis : Paul Appell, doyen de la Faculté, Jean Perrin, d'autres encore.

En arrivant, ils ont demandé :

— Madame Curie est là ?

Mais Marie est absente. La bonne ne peut que répondre :

— Madame a dit qu'elle rentrera vers six heures. Toutefois s'il y a quelque chose d'urgent à lui communiquer, je puis faire la commission. A moins que vous ne préfériez voir monsieur Curie ?

— Ah ! le docteur est à la maison ?

Le père de Pierre sera ainsi mis le premier au courant de la triste nouvelle.

Une phrase passe ses lèvres soudain tremblantes :

— A qui donc mon pauvre fils rêvait-il encore ?

Ce sera la seule. Après cela, il se retira dans sa chambre, entraîné par un besoin de solitude impérieux.

Comme la servante l'a dit, Marie rentre vers six heures. Comme d'habitude, elle est sereine, l'esprit habité par les problèmes scientifiques qui sont les siens depuis quinze ans. La présence des collègues de Pierre à une heure où ils ne viennent jamais l'intrigue bien un peu, mais aucun pressentiment ne fait battre son cœur plus vite.

— Messieurs ? s'informe-t-elle avec un sourire.

— Madame... commence le doyen, la nouvelle que je vous apporte...

Mon Dieu qu'il est grave ! Et puis pourquoi sa voix tremble-t-elle ? Une voix si ferme, sinon si sûre d'elle !

Pendant qu'il parle, c'est à cela que Marie pense. Déjà pourtant le terme de « mort » a franchi les lèvres d'Appell, déjà l'accident a été évoqué, tronqué de ses détails trop pénibles, mais Marie ne saisit pas tout de suite. La réalité a quelque peine à renverser toutes les images de bonheur qui font partie de son être.

— Pierre est mort ?

Enfin !... Enfin, elle semble comprendre ! Les bras amis se tendent pour empêcher que Marie ne s'écroule sur le parquet. Pour eux, il est certain que cette femme si fragile supportera mal la nouvelle, qu'elle s'évanouira, puis une fois ranimée, que de grands sanglots secoueront son corps tout en le libérant d'un poids intolérable.

Non, ils se trompent.

Marie ne bronche pas. Elle s'est comme métamorphosée en statue de pierre. Son visage déjà si pâle d'ordinaire devient plus pâle encore, tout blanc. Mais pas un cri, pas une larme, pas un geste.

Combien de temps restera-t-elle ainsi, dans cette position qui a quelque chose d'effrayant pour les témoins ? Personne ne le sait. Et plus tard, personne ne pourra s'en souvenir.

Simplement, à un moment donné, elle dira :

— Je voudrais aller au jardin, m'asseoir sur un banc.

Et comme on fait mine de l'accompagner :

— Non, je vous en prie, proteste-t-elle dans un murmure et en avançant la main. Je désire être seule.

Seule !... Seule comme elle sera toujours, dorénavant. Jusqu'à sa propre fin.

Vers le soir, une ambulance s'arrête devant la porte. C'est Debierne qui a fait le nécessaire au commissariat pour que le corps de Pierre Curie soit rendu à sa famille. On transporte la dépouille dans une pièce du rez-de-chaussée.

Alors seulement, Marie se décide à revenir parmi les vivants. Jusqu'à cette heure, elle est restée prostrée dans le petit jardin, la tête entre les poings, les coudes sur les genoux. Dans l'ombre, elle ressemble à une jeune écolière abandonnée par son premier amoureux...

— Où l'avez-vous mis ? demande-t-elle à Debierne.

Sans un mot, car lui-même est cruellement frappé par la disparition de son maître, il montre la chambre.

Marie entre rapidement, voit « son » Pierre au visage bandé étendu sur un divan. Cette fois, la coupe déborde. Eclatant enfin en sanglots saccadés, elle se précipite vers le cadavre, baise son visage, s'aggripe à sa main, tandis que de sa gorge brûlante sortent les plaintes que trouvent toutes les femmes qui ont beaucoup aimé :

— Oh, Pierre, Pierre !... Pourquoi m'as-tu abandonnée ? Ce n'est pas possible, dis ?... Dis, mon Pierre, réponds-moi ? Tu vas me revenir, tu vas ouvrir tes yeux, tu vas me sourire et me prendre dans tes bras ? Pierre ?... Parle-moi !... Oh ! parle-moi...

Elle ne sait pas qu'elle hurle, elle ne voit pas qu'elle ressemble à une bête fauve blessée à mort.

Et elle ne sent même pas que ses amis sont obligés de l'arracher du corps de son époux pour l'entraîner dans la salle à manger.

Puis vient le jour de l'enterrement. Du monde entier, des témoignages de regrets ont été adressés à l'illustre savant. On prévoit des funérailles imposantes, une foule énorme, des discours, des fleurs.

— Je ne veux pas ! déclare Marie avec une force qu'on ne lui soupçonnait plus. Pierre avait horreur du monde.

Et regardant ses amis droit dans les yeux :

— Il ne faut pas que cette cérémonie ressemble à une mascarade lugubre. Il faut qu'elle soit comme une simple promenade, pareille à ces promenades que nous faisions ensemble à vélo dans les environs de Paris, quand nous avions besoin de fleurs fraîches pour la maison.

Pierre reposera donc à Sceaux, dans le caveau de la famille. Et, comme Marie l'a souhaité, il ira à sa dernière demeure accompagné de quelques amis, des compagnons de toujours. Pour éviter la foule et les discours, celle qui est maintenant l'illustre veuve a tout simplement fait avancer les obsèques.

Elles ont lieu le 21 avril. C'est un samedi...

Pierre, mon Pierre, tu es là... écrit Marie le soir même dans un journal qu'on ne peut même pas appeler « personnel » puisqu'il ne contiendra jamais que la description des journées atroces... *Tu es là, calme comme un pauvre blessé qui se repose en dormant, la tête enveloppée. Ta figure est douce et sereine, c'est encore toi, enfermé dans un rêve dont tu ne peux sortir. Tes lèvres, que jadis j'appelais gourmandes, sont blêmes et décolorées. Ta petite barbe est grisonnante. On voit à peine tes cheveux, car la blessure commence là et, au-dessus du front, à droite apparaît l'os qui a sauté. Oh ! comme tu as eu mal, comme tu as saigné, tes habits sont inondés de sang. Quel choc terrible a reçu ta pauvre tête que je caressais si souvent, en la prenant dans mes deux mains. J'ai baisé tes paupières, que tu fermais pour que je les embrasse, en m'offrant ta tête d'un mouvement familier...*

Nous t'avons mis en bière samedi matin, et j'ai soutenu ta tête pour ce transport. Nous avons mis le dernier baiser sur ta figure froide. Puis quelques pervenches du jardin dans la bière et le petit portrait de moi que tu appelais « la petite étudiante bien sage » et que tu aimais. C'est le portrait qui devait t'accompagner dans ta tombe, le portrait de celle qui avait eu le bonheur de te plaire assez pour que tu n'hésites pas à lui offrir de partager ta vie, alors que tu ne l'avais encore vue que quelques fois. Tu m'as dit bien souvent que c'est la seule occasion de ta vie, où tu aies agi sans aucune hésitation, avec la conviction absolue de bien faire. Mon Pierre, je crois que tu ne t'es pas trompé. Nous étions faits pour vivre ensemble et notre union devait être.

Ta bière est fermée et je ne te vois plus. Je n'accepte pas qu'on la recouvre de l'affreux chiffon noir. Je la couvre de fleurs et je m'assieds près d'elle.

...On vient te chercher, assistance attristée, je les regarde, je ne leur parle pas. Nous te reconduisons à Sceaux, et nous te voyons descendre dans le grand trou

profond. Puis, affreux défilé de gens. On veut nous em-
mener. Nous résistons, Jacques et moi,[1] nous voulons
voir jusqu'au bout, on comble la fosse, on pose les ger-
bes de fleurs, tout est fini, Pierre dort son dernier som-
meil sous la terre, c'est la fin de tout, de tout, de tout...

Elle n'a pas vu, près d'elle, affligé comme de la mort
d'un ami très cher, le ministre Aristide Briand. Bravant la consigne, se considérant comme un simple admirateur et non pas comme le politicien le plus célèbre
d'Europe, il a suivi le cortège caché parmi les parents
du savant.

■

Marie aura encore une crise de désespoir.

Bronia Dluski est venue de sa lointaine Pologne pour
assister aux obsèques de son beau-frère. Mais les jours
ont passé et sa présence est indispensable aux côtés de
son mari sur les épaules de qui repose toute la responsabilité de la bonne marche du sanatorium de Zako-
pane.

— Je m'en vais demain, annonce-t-elle à sa sœur.

Tout d'abord, celle-ci ne dit rien. A-t-elle seulement
entendu ? Bronia hésite. Va-t-elle répéter sa phrase. Mais
non, ce n'est plus nécessaire. Marie a redressé la tête
et sa main s'accroche nerveusement à sa jupe.

Puis :

— Veux-tu venir avec moi ?

— Où donc ? s'inquiète déjà Bronia.

— Dans ma chambre. J'ai un service à te demander.

Les deux femmes se dirigent en silence vers la pièce
qui est maintenant une morne chambre de veuve. Marie ferme la porte à clef.

— Mais que fais-tu ? s'étonne encore sa compagne.

---

1. Jacques, professeur à Montpellier, est le frère de Pierre Curie.

— Ne pose pas tant de questions ! répond Marie qui a ouvert la grande armoire normande. Il ne faut pas qu'on nous dérange !

Dans l'armoire, il y a un volumineux paquet que la veuve va déposer devant l'âtre où brûle un feu ardent.

— Prends un fauteuil, ordonne-t-elle et viens ici. Nous allons brûler le contenu de ce paquet.

Intriguée, Bronia s'approche pour s'asseoir en face de sa cadette. Qu'est-ce que celle-ci a bien pu envelopper dans ce fort papier huilé ?

Mais quand les feuilles sont enfin écartées, elle ne peut retenir un léger cri d'horreur : du linge, des vêtements apparaissent, fripés, couverts de boue, maculés de sang. Tout ce que Pierre portait au moment de l'accident !

— Tu... tu as dormi avec ces choses près de toi ? bredouille Bronia qui se demande si sa sœur n'a pas perdu la raison.

Marie ne veut pas répondre.

— Passe-moi les ciseaux, veux-tu ? dit-elle d'une voix dure. Nous allons couper ces vêtements en menus morceaux pour les jeter au feu.

— Au feu ?

— Oui, au feu. Il ne faut pas que des indifférents puissent un jour toucher à ces reliques, je le supporterais mal. Le feu va purifier tout cela. Au travail !

Les dents serrées, sans un mot, les deux femmes s'affairent. Une à une les pièces sont jetées dans les flammes où elles se consument rapidement.

Mais qu'est-ce qui se passe ?

Bronia a vu sa sœur pâlir sur une étoffe. Et tout à coup Marie s'est mise à l'embrasser avec frénésie, à la serrer contre ses lèvres, tandis que les larmes jaillissent littéralement de ses yeux.

— Mania ! s'écrie-t-elle en se précipitant.

Elle veut lui arracher le vêtement, mais Marie résiste sauvagement.

— Mania ! Calme-toi ! Donne-moi cela !

Dans un mouvement plus brutal que les autres, elle parvient à le lui enlever. « Qu'a donc ce vêtement ? se demande-t-elle et, pendant quelques secondes, elle demeure toute interdite, ne sachant que faire, ne comprenant rien à cet accès de souffrance morale. Un souvenir plus obsédant que les autres demeure-t-il attaché à ce veston de Pierre ? Ou est-ce le fait d'en voir trop ? Ce que Marie veut tout brûler, jusqu'au dernier vêtement, Bronia ne le saura jamais. Sa sœur, parvenant à se maîtriser, ordonne avec force :

— Jette-le au feu, jette donc !

Seulement, le choc a été trop rude. Dès que le contenu du paquet a disparu dans les flammes de l'âtre, Marie doit s'accrocher à sa sœur pour ne pas tomber. Tout son corps est violemment secoué de sanglots. Une longue plainte monte à ses lèvres, une plainte qu'elle répète sans arrêt, de plus en plus fortement :

— Je ne peux plus vivre, je ne peux plus vivre !...

C'est la crise de nerfs, celle que les familiers de la pauvre femme attendaient depuis des jours. Bronia, qui a l'habitude — elle en a déjà vu tant dans son sanatorium ! — oblige sa sœur à s'étendre sur le lit, délace ses vêtements, lui passe de l'eau fraîche sur les mains et la nuque...

A la fin, Marie ne pleure plus que très doucement. Parfois, elle renifle comme une enfant après un gros chagrin...

Bronia la regarde tout en caressant machinalement ses cheveux cendrés.

8

« Ma vie
ne s'arrangera plus... »
M. C.

Marie ne mourra pas.

Elle se souvient d'une phrase de Pierre :

— Si l'un de nous a le malheur de disparaître, il faut que l'autre continue la tâche entreprise.

C'était au temps du hangar — le temps du bonheur — quand ils cherchaient ensemble à isoler le radium.

Sans doute, est-ce chose faite, mais les chercheurs ne peuvent jamais s'endormir sur leurs lauriers et d'autres travaux requièrent la présence de Marie au laboratoire. De plus, ayant eu pour une fois un beau geste, les « officiels » viennent de la nommer professeur chargé de cours à la Sorbonne.

La première leçon est un triomphe. Le « Tout-Paris » se presse sur les bancs de l'amphithéâtre d'où les élèves ordinaires sont presque chassés. Les mondaines et les snobs, les gens en vue, les célébrités du moment veulent voir la « veuve Curie ». Sa douleur, pour ces êtres vains qui ne respectent rien, est un spectacle de choix. Ils vont écouter Marie Curie parler de la désintégration atomique comme ils iraient au « Français » entendre tel ou tel sociétaire réciter noblement Phèdre et Andromaque.

Et on entend dans les rangs :

— Croyez-vous qu'elle va pleurer ?

— Je ne comprends rien à la physique, ça va m'embêter mais tu penses bien que je devais voir ça !

— C'est donc vrai qu'elle s'habille comme une fille pauvre ?

— Jeune, c'était une beauté !

— Devra-t-elle faire l'éloge de son mari ?

— Pourvu que sa leçon ne dure pas trop longtemps !
Etc, etc.

A une heure et demie très précise, la petite porte du fond s'ouvre et Marie Curie apparaît devant les domestiques de la gloire qui l'applaudissent de toutes leurs forces. Elle salue.

— C'est sec ! pense plus d'une sotte.

Dès que le bruit cesse, la physicienne commence son cours en le reprenant à l'endroit exact où Pierre a laissé le sien. Elle ne dira rien de lui, elle ne fera pas son éloge, mais ceux qui savent ont compris...

Ce soir-là, quand après le laboratoire Marie prendra le chemin du boulevard Kellermann où elle passe ses derniers jours, car elle a décidé de déménager, un inconnu l'aborde dans la rue.

C'est un homme du monde. Poliment, il retire son chapeau.

— Pardon, madame ! s'excuse-t-il, n'ai-je pas l'honneur de saluer madame Curie ? Je voudrais vous dire combien votre leçon de cet après-midi m'a ému et...

Marie ne le laisse pas achever sa phrase.

— Vous faites erreur, monsieur, dit-elle d'une voix un peu sèche. Je ne suis pas madame Curie.

Et, profitant du désarroi de son élégant admirateur, elle s'éloigne.

C'est la première fois qu'elle sent passer le souffle de la célébrité. Jusqu'ici la gloire a eu pour elle un visage officiel, rien d'autre. Mais cet homme qui l'accoste dans la rue, non, cela c'est autre chose...

Et Marie a peur. « Moi, toute seule pense-t-elle atterrée, que vais-je devenir ? »

Elle se fait plus petite, plus effacée que jamais. Des inconnus vont encore l'aborder, chaque fois elle répondra comme la première fois : « Vous faites erreur... ». A la maison même, ses filles se rendent à peine compte de sa présence. Elle est comme une ombre.

Le vieux docteur Curie n'est pas sans avoir remarqué cette attitude. Et il se plaint :

— Marie, pourquoi ne parlez-vous jamais de Pierre ? Irène et Eve se demanderont un jour si elles ont bien un père !

Mais la physicienne hoche la tête. Elle ne peut pas parler de Pierre, c'est au-dessus de ses forces. Pierre est enfermé en elle à double tour. Et devant ses enfants — qu'elle veut joyeuses — une sorte de pudeur l'envahit, la « boucle » diraient les psychologues.

Sur l'éducation d'Irène, qui est maintenant en âge d'aller au lycée, Marie Curie a des idées bien arrêtées.

Ne dira-t-elle pas à un professeur :

— Je hais les écoles telles qu'on les conçoit aujourd'hui ! Quoi ! rassembler des enfants dans des locaux lugubres, peu aérés ; les obliger à des heures de présence qui n'apportent rien ! Mais, monsieur, j'ai parfois l'impression qu'il vaudrait mieux les noyer plutôt que de les faire travailler dans ces conditions !

Et comme le digne représentant de l'enseignement officiel veut protester :

— Non, monsieur, c'est inutile, vous ne me convaincrez guère ! Mon système à moi est trop simple : étudier peu, mais bien. Pas de premiers en classe, pas d'examens avec des cotes !

Marie Curie a parlé d'une voix nette, un peu sèche, et qui en impose. Il ne s'agit pas de phrases creuses formulées par une intellectuelle ! Marie Curie consulte des amis, voit des sommités de la Sorbonne, cherche à secouer l'apathie des uns, à détruire l'hostilité des autres. Si bien qu'elle parvient à créer une sorte de coopérative d'enseignement dont bénéficient les bambins des grands professeurs. Quant aux grands professeurs, ils donnent eux-mêmes les cours élémentaires. A Fontenay-aux-Roses, Paul Langevin enseigne les mathématiques ; à la Sorbonne, Jean Perrin donne ses leçons de chimie ; ailleurs encore, madame Chavanne ou le sculpteur Magrou initient cette jeunesse privilégiée aux beautés de la littérature et des arts plastiques. Marie Curie, elle-même, dans l'école de Physique où elle a connu des heures si exaltantes avec Pierre, inscrit sur le tableau noir les équations les plus simples qui sont passées sous son morceau de craie.

Aujourd'hui, les vedettes de la science que sont devenus Jean Langevin, Francis Perrin, Isabelle Chavannes, Irène Curie se souviennent encore avec attendrissement de ces leçons exceptionnelles, données par des professeurs d'élite.

Et si le silence de Marie Curie au sujet de son défunt mari couvrait en réalité une sorte d'envie inconsciente, le désir d'une femme de sciences d'accaparer l'œuvre commune, de tirer, comme on dit vulgairement, la couverture de son côté ?

Certains le pensent, mais à tort. Si la physicienne refuse de parler de Pierre chez elle, il n'en va pas de même à la Sorbonne et dans des manifestations scientifiques. Là, elle s'efface volontiers derrière la mémoire de son mari.

En 1911, elle reçoit le prix Nobel de chimie.

Elle doit prononcer une grande conférence publique. Comment débutera-t-elle ?

Très simplement sur ces phrases :

Avant d'aborder le sujet de la conférence, je tiens à rappeler que la découverte du radium et celle du polonium ont été faites par Pierre Curie en commun avec moi. On doit aussi à Pierre Curie, dans le domaine de la radio-activité, des études fondamentales qu'il a effectuées soit seul, soit en commun avec moi, soit encore en collaboration avec ses élèves.

Le travail chimique qui avait pour but d'isoler le radium à l'état de sel pur et de le caractériser comme un élément nouveau a été effectué spécialement par moi, mais se trouve intimement lié à l'œuvre commune. Je crois donc interpréter exactement la pensée de l'Académie des Sciences en admettant que la haute distinction dont je suis l'objet est motivée par cette œuvre commune et constitue ainsi un hommage à la mémoire de Pierre Curie.

Et au moment de faire paraître une de ses œuvres, ce n'est pas sa photo que Marie fera insérer à la première page, mais celle de Pierre.

■

Parfois, dans cette vie consacrée, plus encore qu'avant, à la science, des nuages s'amoncellent. L'année même où Marie Curie reçoit le prix Nobel, quelques amis viennent la trouver pour la supplier de présenter sa candidature à l'Académie des Sciences.

— Pierre en était ! Il est tout naturel que vous en soyez aussi !

Oubliant le premier échec de son mari, oubliant surtout qu'elle n'est pas une femme de salon, Marie écoute ceux qui la poussent dans la voie des honneurs.

Pauvre Marie !

A peine s'est-elle mise en campagne que les passions se déchaînent.

— Comment ! s'écrient les personnes qui ont applaudi les premières aux succès de cette physicienne « française », une étrangère à l'Académie ! Une Polonaise ! Une Juive ! Jamais...

Marie Curie n'est pas Juive, la famille Sklodowska professe même des sentiments chrétiens très chauds, Marie Curie a opté pour la France, donnant à ses enfants une éducation française, refusant de retourner en Pologne où des propositions flatteuses lui sont faites, mais tout cela, les envieux l'oublient, ou pis, le déforment.

Ce n'est pas tout ! La physicienne n'est pas seulement une étrangère, elle est aussi une femme.

Et l'intransigeant monsieur Amagat, ce « savant » dont Pierre Curie a fait jadis l'éloge alors qu'il était son concurrent, claironne :

— Les femmes n'entrent pas à l'Académie !

A cause des filles d'Eve, les hommes de science perdent leur sérénité.

Ne voit-on pas le président de l'Académie, se dresser, le jour de l'élection, sur la pointe des pieds pour lancer aux huissiers d'une voix tonitruante :

— Laissez entrer tout le monde, les femmes exceptées.

L'excitation atteint son comble quand un membre aveugle de l'austère assemblée se rend compte qu'on lui a glissé dans la main un faux bulletin.

— On m'a fait voter contre madame Curie ! glapit-
il. Je proteste. Il faut recommencer !

Néanmoins, au laboratoire les disciples de l'illustre
physicienne ont confiance. Un grand bouquet de fleurs
est préparé qui n'attend plus que la triomphatrice de la
journée.

Hélas ! par une voix, oui, par une seule voix, Marie
Curie perd la bataille. Le siège revient à Edouard Branly.

Quand elle pénètre au laboratoire, sans un mot, mais
souriante comme à l'ordinaire de ce sourire triste et
doux qui illumine tout son visage, les préparateurs ont
fait disparaître le bouquet.

Ce sera une journée comme toutes les journées. Une
journée consacrée à la recherche... Mais qu'importe au
fond, pour Marie, cette religieuse de la science pure,
pour « Sainte Marie du radium ? »

■

Il arrive pourtant qu'elle prenne quelques jours de
repos.

En 1913, au sortir d'une pénible maladie, elle se rend
en Suisse accompagnée de ses filles. L'Engadine avec
ses lacs plus classiques que romantiques, avec ses paysages italiens si mesurés, la tente particulièrement.

— On grimpe aujourd'hui ?

Ce sont Irène et Eve qui, rugsack au dos, supplient
leur mère de leur accorder une balade de plus dans la
montagne.

Mais Marie n'est pas contrariante.

— Naturellement qu'on grimpe ! s'exclame-t-elle.
Croyez-vous que je sois venue ici pour m'allonger dans
une chaise longue ?

La physicienne adore les sports. Elle fait toujours du

vélo, mais elle sait aussi nager, jouer au ballon, se tenir sur des agrès, et, par-dessus tout, elle aime marcher. A ses yeux, il n'existe pas d'exercice plus complet, plus sain. Elle a d'ailleurs éduqué ses filles dans une saine compréhension du sport et elle est tout heureuse de constater qu'Irène et Eve sont bien telles qu'elle les désire : pas des mauviettes, pas des fifilles-à-leur-maman, pas des peureuses.

— Est-ce que Einstein vient avec nous ?

C'est Eve qui a posé la question. Le célèbre savant allemand est descendu au même hôtel que madame Curie, et un courant de sympathie a tout de suite circulé entre ces deux êtres d'élite. Naturellement, ils ne se quittent plus, la physique les liant mieux que deux amoureux.

Donc, Einstein accompagne. On se demande d'ailleurs pourquoi les deux savants font de l'alpinisme. Ils passent devant les plus beaux paysages sans les voir, au bord des gouffres dangereux sans frémir. Et quand Einstein s'arrête brusquement, ce n'est pas pour s'exclamer :

— Je suis un imbécile de ne rien admirer !

Mais :

— Ce que j'ai besoin de savoir, c'est ce qui arrive exactement aux passagers d'un ascenseur quand celui-ci tombe dans le vide...

Si alors sa mère prend un air de réflexion profonde, la petite Eve sent monter un rire qu'elle ne peut réprimer.

Naturellement, ni Einstein ni Marie Curie ne s'en aperçoivent ! De trop graves problèmes les préoccupent.

Ces vacances feront le plus grand bien à la physicienne. Dès qu'elle est rentrée à Paris, elle peut de nouveau s'occuper activement au laboratoire et surtout —

oh ! surtout — surveiller de près les travaux de la rue Pierre Curie où peu à peu s'élèvent les bâtiments blancs de l'Institut du Radium.

Enfin, elle va avoir son école, son laboratoire, à elle, une vraie maison de la science !

Bien entendu, elle n'est pas d'accord avec l'architecte.

— Qu'est-ce que vous construisez-là ! Mais dans dix ans, ces laboratoires auront un air vieillot, il faudra les transformer ! Non, non, ce que je veux, ce sont des locaux modernes que les élèves de mes élèves pourront encore utiliser d'ici cinquante ans. Pas de décoration inutile, beaucoup de lumière, de la place et un ascenseur !

L'architecte n'a plus qu'à s'incliner.

Autre idée de la terrible veuve : elle veut un jardin !

— Comment ! protestent les gens sérieux. Un jardin autour d'un laboratoire ?

— Pourquoi pas ? réplique-t-elle. Vous ne croyez pas que nous travaillons mieux dans une atmosphère humaine ? Vous supposez peut-être que notre cœur ne bat pas plus vite à la vue d'un arbre en fleurs ?

— Mais le terrain coûte cher. C'est de la place perdue !

— Le bonheur... Non, je serai modeste : simplement la joie de vivre mérite qu'on lui consacre quelques billets de mille francs.

Une fois de plus, il faut passer par sa volonté.

— C'est une femme intransigeante et dure, dira l'architecte pendant les travaux.

Seulement, ceux-ci terminés, au fond de lui-même, il doit reconnaître que Marie Curie avait raison. Le bâtiment est une réussite. Et peut-on réussir, quoique ce soit, en baissant le front, en souriant à tout un chacun ? Marie sourit rarement à présent. Jamais elle ne baisse le front.

■

Mais un matin, alors qu'elle œuvre déjà au laboratoire de la rue Cuvier, une visite en apparence bien anodine vient soudain rompre cet élan.

Le destin ne veut pas que le visage de Marie regarde uniquement vers l'avenir. Sa main d'ombre le force à se détourner un moment, à méditer une dernière fois sur le passé.

— Qui est là ? dit-elle sévèrement.

Un petit homme qu'elle reconnaît d'abord difficilement se dresse devant elle, chapeau à la main, l'air malheureux.

— Ben voilà ! je suis le concierge de l'école de physique de la rue Lhomond. Vous vous souvenez...

Mon Dieu, oui ! Maintenant, elle peut mettre un nom sur ce visage. Ne l'avait-il pas laissée entrer une nuit dans le hangar, avec Pierre ? La nuit du radium...

— Oui, je me souviens ! l'interrompt-elle. Et alors ?

— Et alors ! reprend le concierge. Eh bien, ils vont démolir le grand laboratoire ! Ils sont venus avec des pioches et des pelles ! Même que ça a déjà commencé !

Marie pâlit. Vite, elle ôte son cache-poussière, prend au vol son manteau, et suit le bonhomme.

Dans la cour de l'école, elle n'y voit d'abord rien. Une poussière sans nom recouvre tout, vole partout, rend aveugle, fait tousser.

Marie ne se laisse pas arrêter pour si peu. Sans hésiter, elle s'approche de la baraque...

Et là, insoucieuse de la présence des ouvriers, longtemps elle regardera s'écrouler le décor de son bonheur évanoui. Le toit a déjà été enlevé, maintenant les planches sont arrachées avec violence. Certaines craquent, d'autres résistent, pliant les clous rouillés.

Mais c'est autre chose qui la fascine.

Il reste un pan de mur intact, et sur cette surface le vieux tableau noir est toujours accroché.

Quelques chiffres tracés à la craie, et que le temps n'est pas parvenu à effacer, s'y lisent.

Quelques chiffres qui trahissent l'écriture de Pierre Curie...

Il semble à Marie qu'une main va apparaître pour achever l'équation incomplète.

Seul un nouveau nuage de poussière brouille tout.

9

« Nous avons foi
dans le succès final... »
M. C.

Cependant d'autres nuages s'amoncellent sous un ciel plus vaste. Août 1914 ! Brusquement, les menaces de guerre se précisent, l'Europe Centrale entre en effervescence, l'Allemagne envahit la Belgique dans un style qui deviendra celui des conflits du XXe siècle : l'offensive-éclair.

La France et l'Angleterre ripostent.

Au laboratoire de la rue Cuvier, Marie Curie s'aperçoit tout à coup qu'elle est seule. Ses compagnons de tous les jours ont été mobilisés. Les cache-poussière blancs accrochés aux patères ressemblent à des défroques de fantômes pour comédie.

D'abord, Marie pense à la Pologne. Que deviennent les siens ? Une fois de plus, la Pologne est occupée par des armées ennemies, et isolée du reste du monde. Pour Marie, c'est pis que la solitude, c'est l'isolement, l'angoisse de l'incertitude, la notion d'une certaine inutilité.

Marie Curie, la physicienne la plus célèbre du monde, l'exploratrice du radium, la bienfaitrice de l'humanité souffrante, n'est plus qu'une pauvre femme parmi beaucoup d'autres.

« Non, non ! marmonne-t-elle en allant de gauche et de droite dans le laboratoire désert où de vieilles habitudes la poussent à venir chaque matin. Ce n'est pas possible ! Cette guerre peut durer des mois, et pendant ce temps, je resterais à Paris sans rien faire ? Cela ne me ressemble guère ! »

Dans sa mémoire défilent des images d'un passé lointain. Elle se revoit, jeune étudiante du gymnase impérial de Varsovie, apprenant en secret l'histoire de la Pologne dans les classes mêmes où des professeurs russes peuvent entrer sans crier gare. Elle se revoit encore dansant de joie à l'annonce de la mort du tsar Alexandre II assassiné par un fanatique et allant, accompagnée d'une amie, trouver le curé de la paroisse.

— C'est pour une messe ! dit-elle.

— A l'intention de qui ? s'informe le brave ecclésiastique, heureux de découvrir une jeune fille à ce point débordante de pitié.

— Je ne puis pas vous l'avouer, c'est un secret !

Pensez donc ! Elle fait prier le prêtre pour que meurent tous les traîtres à la Pologne.

Enfin, elle se revoit bravant un professeur pro-russe qui l'a prise en aversion.

— Ne me regarde pas toujours de haut comme tu le fais, sale petite bête ! crie le fonctionnaire.

— Hé ! c'est que je ne puis pas faire autrement, réplique Marie. J'ai une tête de plus que vous !

Bref, Marie Sklodowska est une petite fanatique pour

qui mourir en criant « Vive la Pologne ! » paraît un sort très enviable.

Et voilà que trente ans plus tard, au moment où son pays entre dans une « vraie » guerre, au moment où la France, sa terre d'adoption, gémit sous les coups de boutoir d'un ennemi puissant, elle ne trouve qu'à tourner en rond dans un local vide !

— Si je me faisais infirmière ?

Aussitôt, elle s'informe auprès des services sanitaires. Non, pour elle, ce n'est pas une solution, parce que c'est une solution trop facile. Elle peut faire mieux.

Et, tout à coup, un trait de lumière :

— Mais j'y songe ! Les hôpitaux, tant à l'arrière qu'au front, sont dépourvus d'installations de rayons X !

Alors, quoi ? Les soldats blessés ne pourront pas profiter de la découverte de Roentgen ? Pourtant, comme elle leur serait utile ! Plus de perte de temps, plus de tâtonnements ! Un simple examen, et la balle du fusil, l'éclat d'obus caché dans la blessure est repéré.

Cette fois, Marie sait que faire. Batailler jusqu'à ce que les hôpitaux soient outillés en appareils de Roentgen ! Déjà ses yeux se promènent sur les instruments de son propre laboratoire. Oui, là, dans ce coin, c'est bien un dispositif de radiologie qu'elle aperçoit. Sans hésiter, en son esprit, elle en fait le sacrifice, puis, ne prenant pas la peine de décrocher son manteau, elle se précipite dans la rue.

Il n'y a plus une minute à perdre.

Réunir du matériel de rayons X ! s'exclament les « compétences ». Nous, nous voulons bien ! Mais qui se chargera de l'emploi ?

— Je m'en occupe !

Marie se remet en chasse, va contacter tel savant

trop vieux pour être soldat, tel professeur réformé, tel ingénieur un peu trop malin.

— Rendez-vous utile ! leur lance-t-elle sans ménager les susceptibilités. Vous connaissez tous le maniement des appareils de radiologie. Les constructeurs m'en ont offert plusieurs. J'ai besoin de vous.

Galvanisés par l'énergie de cette femme dont la douceur n'est qu'apparente, les embusqués retrouvent une lueur de conscience, les hésitants leur fermeté.

Dans les hôpitaux de guerre, la machine à détecter le mal commence à fonctionner.

Mais c'est encore insuffisant. De tous côtés on s'exclame :

— Il y a trop de blessés ! On meurt trop vite ! Si les appareils pouvaient être installés dans les ambulances on sauverait bien des vies !

— Ce n'est que cela ! répond Marie Curie. Attendez !

Elle va frapper à la porte de l'Union des Femmes de France, parlemente, plaide sa cause. Résultat ? La bataille de la Marne n'est pas finie qu'une voiture radiologique circule entre le front et Paris.

Pour Marie Curie, pour les soldats blessés, c'est déjà une victoire...

Hélas pour la France, cette victoire-là ne trouve pas d'écho sur les champs de bataille. De toutes parts, le front est enfoncé, la retraite ordonnée. Paris même se sent menacé ! Les Allemands, dans leur avance foudroyante, ne sont plus qu'à cinquante kilomètres de la capitale. Meaux tombe...

Une autre inquiétude s'est installée dans le cœur de Marie Curie. De nouveau, elle erre comme une âme en peine dans son laboratoire désert. Mais, cette fois, son

regard ne va pas indifféremment d'un instrument à
l'autre. Il ne peut se détacher d'une caisse assez volumi-
neuse. Le gramme de radium !

— Je ne puis tout de même pas le laisser tomber entre les mains des Allemands !

C'est l'évidence même. Toutefois, comment faire ?

— Envoyez-le à Bordeaux, lui suggère-t-on. Le gouvernement s'y trouve. Votre radium ne pourrait y être
mieux en sécurité.

Marie n'en doute pas. Cette solution lui paraît la seule
acceptable. Pourtant, elle n'est pas satisfaite. Et :

— A qui vais-je le confier ? Vous rendez-vous compte
de la responsabilité qui pèsera sur les épaules du mes-
sager ?

Elle n'ajoute pas : « Vous rendez-vous compte aussi
de mon angoisse à l'idée que ce radium voyagera sans
garantie, qu'un bombardement peut détruire le train,
qu'un voleur habile... » Mais on a compris.

Et quand elle propose :

— Si je le portais moi-même ?

Tout le monde est d'accord.

Ah ! ce train de Bordeaux ! Marie s'en souviendra
toute sa vie. Archibondé, occupé par une foule de voya-
geurs tremblants et défaitistes, habité par un esprit de
lâcheté qui l'écœure...

La physicienne a trouvé une petite place dans un coin.
Elle regarde le paysage ensoleillé où les routes seules
disent que c'est la guerre. Sur celles-ci, en effet, des
milliers de fuyards, les uns à pied, les autres juchés sur
des charrettes ou installés dans de confortables voitures
Renault, vont vers l'ouest et le sud. Et dans le comparti-
ment, les gens ne parlent que de raids meurtriers, d'ac-
tes de barbarie commis par l'ennemi, comme s'ils avaient
besoin d'excuses pour leur peur.

Marie se tait. Bien sûr, ses voisins ont essayé d'engager la conversation, intrigués par cette femme seule qui porte un simple cache-poussière d'alpaga noir et qui a déposé sur ses genoux une caisse d'apparence plutôt lourde. Ne serait-ce pas une machine infernale ? Et la femme n'est-elle pas une espionne prête à faire sauter le train avec tous ses occupants y compris elle-même ? On a vu de ces fanatiques...

Aussi la tient-on à l'œil, fermement décidé à lui sauter à la gorge au moindre mouvement suspect.

Mais Marie n'a pas envie de parler à ces gens qui lui répugnent un peu. Au demeurant, elle se rend parfaitement compte de l'impression désagréable qu'elle produit et cela l'amuse. A cause d'elle, ces froussards n'oseront pas dormir. Tant mieux !

Dormir !...

A Bordeaux, ce sera bientôt le problème numéro un de la physicienne. Toute la France a envahi la ville, les hôtels affichent complet avec une monotonie désespérante. Il n'y a plus une chambre de libre !

Il est minuit ! Sur une petite place dont elle ignore jusqu'au nom, Marie Curie s'est arrêtée un moment, le colis déposé à ses pieds. Elle est bien fatiguée, et le radium dans sa maison de plomb pèse au bout de son bras. Va-t-elle devoir passer toute la nuit dehors, heureuse peut-être de découvrir un banc public inoccupé où elle s'allongera sans fermer l'œil de crainte qu'on ne vole la précieuse matière ?

A vrai dire, c'est une idée à laquelle elle se fait lentement. Contrariée dans les premières heures, elle s'intéresse maintenant au spectacle d'une cité tumultueuse où le dramatique et le ridicule se côtoient sans se gêner. Bon Dieu que les gens sont drôles !... Comment peut-on s'affoler pareillement pour un lit ou un repas ? Est-il possible que dans certains restaurants, un ou l'autre favorisé du sort ose se plaindre du menu ? Que dans les hôtels, ces mêmes favorisés tâtent le matelas avec une grimace, examinent les draps ? Et Marie revoit soudain le hangar où son corps a souffert la mort, sa petite chambre d'étudiante où, un soir, le bon docteur Dluski lui a fait la leçon parce qu'elle refusait de manger à sa faim, de s'éclairer convenablement, de se chauffer.

Seulement voilà... Il y avait le radium... Cette passion qui l'habitait... Cette rage de découvrir, d'explorer la matière...

Comme il y a, maintenant, cette conscience du devoir, cette sollicitude pour un corps chimique dont elle est à la fois la mère et la marraine...

Les autres n'ont rien d'autre que leurs soucis, des soucis provoqués par leur misérable petite personne. Marie Curie, sa petite personne ne l'intéresse en rien. Et c'est pour cela qu'elle est contente de se trouver sur cette place anonyme, comme si elle assistait dans un théâtre à un spectacle réussi, installée à la meilleure des places.

Elle ne passera pourtant pas la nuit dehors. Reconnue par un professeur de la Sorbonne réfugié à Bordeaux et domicilié chez un collègue qui est de la région, il l'a aussitôt entraînée dans la plus accueillante des maisons.

On s'est exclamé :

— Quoi ! Vous vous apprêtiez à dormir sur le trottoir ! Pourtant, vous nous connaissez !

Et elle, en toute innocence :

— J'avais oublié de noter votre adresse !

Un quart d'heure plus tard, le divan est transformé en lit, et Marie Curie peut s'endormir, en toute quiétude avec le radium à ses pieds.

Le précieux colis, dès le lendemain matin, est transporté à la banque où Marie loue un coffre. Une clef de plus est glissée à l'anneau.

Ses nouveaux amis — en temps de guerre, les amitiés se nouent vite — lui demandent ce qu'elle compte faire maintenant que son précieux colis repose en lieu sûr.

— Bordeaux est une ville très agréable, lui déclarent-ils. Vous verrez ! Elle vous plaira...

Mais Marie ouvre de grands yeux étonnés.

— Je ne doute pas qu'elle soit comme vous dites, répond-elle, mais je n'aurai hélas, pas l'occasion de m'en rendre compte. Du moins, pas cette fois-ci !

— Et pourquoi ?

— Parce que je suis passée par la gare où l'on m'a annoncé qu'un train remonte sur Paris un peu avant midi.

Elle en a trop dit.

— Non, non, ce n'est pas possible ! Vous n'y songez pas ! Retourner là-bas ! Si près du front. Dans une ville aux trois quarts abandonnée ? Dans une ville qui risque d'être prise par l'ennemi ?

Des regards s'élèvent vers le ciel comme pour le prendre à témoin, des bras gesticulent avec consternation. Le professeur de la Sorbonne, le réfugié, va même jusqu'à se fâcher :

— Chère Madame, je vous défends, vous m'entendez ! je vous défends de monter dans ce train. Votre vie est trop précieuse pour la science. Vous n'avez pas le droit de la risquer sottement. Au reste, si vous ne nous écoutez pas, nous trouverons bien un moyen pour vous empêcher de partir !

Empêcher Marie de partir ? C'est mal la connaître. A tout ce qu'on peut lui dire, elle répond de sa voix sourde, le regard buté :

— Vous êtes tous très aimables, mais j'ai décidé de retourner à Paris. Non pas par bravoure, mais parce qu'on a besoin de moi là-bas. Le devoir est une chose très simple.

Et elle reprendra le train, un train sans civils, un train chargé de militaires qui vont au front, un train qui ne ressemble en rien à celui qu'elle a pris la veille, alors qu'elle transportait son gramme de radium.

Comme elle préfère cette atmosphère-ci ! Bien sûr, le convoi est beaucoup plus lent, il y a d'interminables arrêts en pleine campagne, sans raison apparente, mais il y a aussi la bonne humeur des hommes qui préfèrent oublier la guerre et parlent de leur maison, de leur femme, de leurs gosses, ou encore il y a ce geste tout simple d'une jeune recrue qui, voyant Marie affamée, lui tend sans mot dire un morceau de pain.

■

Paris est sauvé !

Cependant la guerre continue, tout aussi meurtrière. Chaque jour, de nouveaux blessés sont ramenés vers l'arrière après avoir été sommairement pansés. Chaque jour, la physicienne apporte à l'un ou à l'autre le réconfort et l'espoir.

Vingt voitures ont été équipées par elle. Pour obtenir ce résultat, Marie Curie s'est transformée en terreur des bureaux. Ces voitures, on les appelle dans la zone des armées : *les petites Curie*.

Ce n'est pas tout. Marie installe encore deux cents salles de radiologie dans lesquelles passeront plus d'un million de blessés.

Naturellement, ces choses-là, c'est après qu'on en parle, quand les résultats sont acquis, quand la bataille est achevée. Au moment même, on ne voit rien, on ne sait rien, on se tait. Ou bien quand on parle, c'est pour déclarer :

— Marie Curie ? Oui, oui... Elle fait quelque chose...
Mais vous verrez ! Pour l'œuvre accomplie, elle va bouleverser tous les services, et au premier ennui ce seront
des jérémiades à n'en pas finir. Je les connais, ces femmes du monde qui désirent se tailler une renommée
d'héroïne !

On ignore, chez les fonctionnaires de la guerre, que
Marie Curie n'est pas une femme du monde. Sa voiture tombe-t-elle en panne sur une route déserte ? Qu'à
cela ne tienne ! Elle la répare elle-même. Pas besoin
qu'on alerte le Q. G. pour cela ! La chambre qu'on lui
offre manque-t-elle de confort ? Les repas qu'elle fait
sont-ils ratés ? Et après ?

Parfois, un officier plus attentif que les autres s'aperçoit que cette femme n'importune jamais personne pour
elle-même, qu'elle est effacée, discrète, humble. Ce jour-
là, Marie Curie compte un ami de plus.

Un jour, cependant, la physicienne rentre chez elle
avec la barre du souci au milieu du front.

— Maman, que se passe-t-il ? s'écrie Irène qui surveille sa mère avec une âme d'ange gardien.

— Oh ! rien de particulièrement grave... commence
Marie, mais néanmoins quelque chose dont il faut que
je te parle.

Et jetant ses gants dans un fauteuil :

— J'apprends que le gouvernement demande aux
Français de lui apporter leur or. Le pays a besoin d'argent. Sans doute, n'avons-nous pas grand-chose, mais enfin, le fait est que nous avons *quelque chose*. Il y a mes
multiples médailles, toutes en or, parmi lesquelles la
première que... que Pierre Curie t'a donnée alors que
tu étais encore une petite fille...

— La médaille Davy ! s'exclame Irène. Oui, je me
souviens...

— J'ignore la valeur de ces pièces, poursuit la veuve

du savant ; je suppose qu'elles donneront tout de même quelques billets. Mais ce n'est pas tout ! Il y a encore le montant de mon second prix Nobel, en couronnes suédoises, auquel je ne me suis jamais intéressée. Ces couronnes dorment à la banque.

— Et tu voudrais, complète Irène qui a déjà compris les intentions de sa mère, que médailles et couronnes soient offertes au gouvernement comme tribut payé par nous à l'effort de guerre ?

— Exactement ! Mais je dois en toute conscience t'avertir d'une chose : cet or sera probablement perdu. Jamais l'Etat ne nous remboursera. C'est pour cela que j'ai pris la peine de t'en parler. Après tout, tu as droit à cet or autant que moi.

Que va répondre Irène ? Elle n'est nullement obligée d'imiter l'abnégation dont les Curie ont fait preuve jadis en refusant de monnayer le radium. Si Irène refuse la proposition de sa mère, personne ne pourra le lui reprocher.

Mais non, il n'en sera pas ainsi. Irène a, sur ce sujet, les idées de la famille.

— Allons à la banque demain matin, dit-elle simplement.

Et le lendemain les deux femmes se rendent à la Banque de France. Un fonctionnaire les y reçoit.

Les couronnes suédoises ? Très bien ! L'opération sera faite sans tarder.

Les médailles ?

Ici, coup de théâtre.

— Madame, s'exclame le digne fonctionnaire. Je refuse !

— Comment, vous refusez ? réplique Marie qui ne comprend pas encore. Ne sont-elles pas en or ? M'aurait-on trompée ?

L'autre hoche la tête.

— Nullement, on ne vous a pas trompée ! Toutes ces pièces sont authentiquement en or. Mais, Madame, réfléchissez donc ! Envoyer à la fonte ces glorieuses médailles ! La France ne peut accepter un pareil sacrifice.

Ce n'est que cela !

Marie Curie n'est pas sensible à ce genre de phrases. Ce respect pour les distinctions que lui ont valu ses découvertes, elle appelle ça « du fétichisme ».

— Ne vous arrêtez pas à ces détails ! déclare-t-elle avec un sourire légèrement dédaigneux.

Aussi n'en revient-elle pas quand elle s'aperçoit que ce fonctionnaire trop scrupuleux est pénétré de la même obstination qu'elle. Doucement, mais fermement, il repousse les médailles dans la direction de Marie Curie.

— Je regrette ! Quelle que soit l'opinion que vous pouvez avoir à leur sujet, opinion qui vous est commandée par une modestie exagérée, et qui vous honore, je prends sur moi de vous répondre non. Mes hommages, Madame !

Il se retire, laissant Marie et Irène bouche bée. Les médailles retourneront au tiroir d'où elles ne sont jamais sorties.

La guerre finie, Marie Curie a pourtant avoué qu'une Légion d'Honneur à titre militaire lui eût fait plaisir.

Faut-il dire qu'elle ne l'a jamais reçue !

10

« Ce n'est pas
sans appréhension que
je quitte la France... »
                                    M. C.

Le monde d'après guerre, devenu aujourd'hui déjà le monde d'entre les deux guerres, et qui a rejeté dans l'ombre tant de gloires pourtant solidement établies, ne s'attaquera pas à Marie Curie.

L'œuvre de la physicienne ouvre les portes à une ère nouvelle, à l'ère atomique, et l'univers en prend de plus en plus nettement conscience. Dans toutes les classes de la société, dans tous les pays du monde, dans toutes les écoles primaires comme dans toutes les universités, c'est là une notion acquise, un petit fait vrai.

L'Europe a admiré Marie Curie et continue de le faire. L'Amérique l'adorera.

En 1920 la porte de son laboratoire — le très moderne laboratoire de la rue Pierre-Curie — s'ouvre sur une femme aux décisions promptes, aux moyens puissants, qui s'appelle Mrs. Meloney, citoyenne des Etats-Unis et journaliste.

— Naturellement, la conversation s'attaque tout de suite au radium.

— Savez-vous, lui demande Marie Curie avec une nuance d'ironie dans la voix, savez-vous combien de grammes de radium les Etats-Unis possèdent ?

Naturellement, la journaliste l'ignore.

— Cinquante !...

Et la physicienne précise :

— Sept à New York, quatre à Baltimore, six à Denver...

— Mais en France ? s'informe naïvement Mrs. Meloney...

— En France ? Oh, c'est bien simple... Un gramme !

— Comment ? l'Amérique possède cinquante grammes de radium, et dans le pays où il a été découvert, en France, on n'en détient qu'un seul ?

Cela dépasse un peu son entendement. Il y a là quelque chose qui n'est pas juste. Un rouage doit mal fonctionner. Et, soudain prise de pitié pour cette remarquable femme de science qui ne dispose que d'un unique petit gramme de radium, elle s'exclame dans un mouvement de générosité sincère :

— Demandez-moi ce que vous voulez, je l'obtiendrai pour vous.

La réponse de Marie Curie ne se fait pas attendre. La physicienne sait trop bien ce qu'elle veut.

— Un autre gramme de radium ! énonce-t-elle d'une voix précise. Moi, je suis trop pauvre pour l'acheter.

Mais Mrs. Meloney s'étonne encore :

— Trop pauvre ? Le radium coûte-t-il donc tant que cela ?

— Cent mille dollars le gramme !

L'étrangère sursaute. D'accord ! elle a promis à madame Curie, mais cent mille dollars, tout de même, c'est une somme ! Bien qu'habituée aux gros chiffres, il lui faut une bonne minute pour encaisser le coup.

Marie se tait, et, si elle observe son interlocutrice, elle n'en laisse rien paraître. Elle s'attend d'ailleurs à ce que l'Américaine se rétracte ou se retire alors sur de vagues paroles de promesse.

Aussi est-elle un peu surprise quand l'autre, au moment de s'en aller, et après un entretien où il n'a plus été question de rien, lui annonce triomphalement :

— J'ai trouvé !... Oui, j'ai trouvé la solution... Oh, excusez-moi, vous ne pouvez pas comprendre ! Mais pendant tout le temps que je vous parlais, je songeais au moyen de tenir ma promesse. Et maintenant, oui, j'ai trouvé. Je vais ouvrir une souscription parmi toutes les femmes américaines.

— Et... et vous croyez que les femmes américaines donneront de l'argent pour qu'ici, en France, un simple chercheur puisse avoir à sa disposition un gramme de radium ?

— Mary ! s'exclame alors Mrs. Meloney dans un élan de lyrisme tout ce qu'il y a de plus yankee, Mary, vous ne connaissez pas l'Amérique ! L'Amérique est un pays étonnant avec des gens étonnants ! Chez nous, le mot impossible est américain, mais on l'emploie pour dire : impossible de faire de petites choses ! Impossible de ne pas tenir une promesse ! Impossible de faire de la peine !

Cela amuse beaucoup Marie Curie.

■

Que l'Amérique est un pays étonnant, la physicienne s'en rendra tout de suite compte.

Moins d'un an après la visite de Mrs. Meloney, elle reçoit un télégramme ainsi libellé :

« L'argent est trouvé, le radium est à vous ! »

Et dans la lettre qui suit, Marie Curie apprend qu'elle est officiellement invitée aux Etats-Unis avec ses deux filles et que le Président de la République en personne lui offrira le précieux gramme.

— Je refuse ! est sa première réaction. Je déteste voyager. Et puis, toutes ces cérémonies, tous ces discours, non ! trop fatigant pour moi !

Mais Irène :

— Maman, tu dois accepter ! Songe au radium !

Mais Eve :

— Maman, j'aimerais tant aller aux Etats-Unis ! Si tu veux, nous poserons nos conditions. Un minimum de cérémonies, le moins possible de discours.

Et la vieille dame, car à présent Marie Curie qui n'a pourtant que cinquante-quatre ans, se sent non pas une âme, mais un corps de vieille dame, accepte de guerre lasse.

— Qu'il en soit comme vous voulez. Mais, de grâce, ne me tuez pas !

■

Ni Irène ni Eve n'ont envie de tuer leur mère. C'est en riant aux éclats qu'elles lui promettent de veiller sur elle, convaincues que les autres s'en chargeront fort bien et infiniment mieux.

Les autres, c'est-à-dire les Américains eux-mêmes.

Le petit trio ne se doute évidemment de rien. Quand Marie aperçoit la foule énorme qui l'attend sur les quais, on doit lui avancer de toute urgence un fauteuil. La prend-on pour une impératrice ?

— Irène, Irène ! murmure-t-elle, c'est de la folie !

Elle n'a pas tout à fait tort. Depuis cinq heures, tout

New York piétine autour des docks. Les bateaux-pompiers saluent le navire qui transporte l'illustre physicienne par d'immenses gerbes d'eau. Les journaux titrent sur cinq colonnes : « La bienfaitrice de la race humaine a franchi l'Atlantique ». Partout, ce ne sont que drapeaux, fleurs lancées par des jeunes filles hurlant leur enthousiasme, fanfares tonitruantes qui se relaient sans arrêt.

Et puis, soudain, il y a la ruée de cette bande de sauvages : les journalistes, les photographes de presse.

— Qu'est-ce que c'est ?... Qu'est-ce que c'est ?...

Marie est submergée, ses filles disparaissent parmi les passagers, cent visages de professionnels de la célébrité la regardent en riant, on l'interpelle :

— Hé ! Mrs. Curie... Un petit sourire !... La tête un peu à gauche !... Oui, comme ça !... O. K. !...

Et elle obéit machinalement, se demandant avec effarement si ce rythme insensé est celui de la vie américaine ?

La nuit, elle est à ce point énervée qu'elle ne parvient pas à fermer l'œil, et pourtant Dieu sait si elle est fatiguée !

Que serait-ce si on lui avait appris que pendant cette même nuit l'Amérique était en train de se faire une opinion ? Que des milliers de journaux imprimaient sa vie et la traitaient avec cette familiarité qui est une des caractéristiques de l'âme « made in U.S.A. ? Que le lendemain matin, plusieurs millions de lecteurs liraient par exemple : « Marie Curie n'est pas une snob ! Marie Curie est la simplicité même. Elle s'habille comme une ménagère de Memphis, de Dallas ou de Denver. C'est une petite femme timide... »

Tout est révélé.

Comment un horticulteur guéri par le radium a été accueilli par la physicienne et avec quelle émotion celle-ci a reçu les roses spécialement conçues pour ce jour.

122

Comment elle a répondu à Mrs. Melloney qui s'inquiétait de sa robe universitaire : « Vous savez ! il est indispensable que vous la mettiez aujourd'hui ! » — « Moi, mais je ne l'ai pas emportée ! »

Et on s'attendrit ! Et on s'extasie sur cette petite femme sans prétentions ! Et on l'idolâtre !

Un jour, à l'issue d'une réception dans je ne sais plus quelle université, une fanatique se précipite vers elle. Marie tend la main, l'autre s'en empare avec force, la secoue, la broie dans le plus pur style « shake hand ». Marie grimace. Irène doit intervenir :

— Mais laissez donc maman ! Vous ne voyez pas que vous lui faites mal ?

Quand la physicienne est enfin libérée de cet étau, on s'aperçoit qu'elle a le poignet foulé.

Et c'est le bras en écharpe qu'elle continuera ce voyage au cours duquel elle sera obligée de s'aliter par deux fois, sa tension baissant anormalement.

■

Alors, la foule fait son mea culpa. Mon Dieu qu'elle est fragile ! Et quelles brutes ne sommes-nous pas, nous Américains ! « Nous ne recevons pas bien nos hôtes impriment les journaux, nous les recevons trop bien, nous leur donnons une indigestion ! »

Contre cet excès de bienveillance et de gloire, la famille Curie cherche à se protéger.

— Maman, annonce Irène, sais-tu qu'il y a une réception à l'Université du Wisconsin au cours de laquelle tu vas, une fois de plus, recevoir le titre de docteur honoris causa ?

— Quand ? gémit la pauvre femme.

— Demain après-midi.

— Eh bien, je n'y vais pas. Mon corps refuse...

Cette réponse n'a pas l'air d'émouvoir outre mesure la fille aînée de Marie. Un léger sourire flotte même sur ses lèvres. C'est qu'il existe maintenant un plan de guerre.

L'université recevra-t-elle une lettre polie pleine d'excuses ? Pas du tout ! A l'heure dite, Marie Curie revêtue de sa toge s'incline devant les professeurs, sourit, écoute les discours où l'on fait son éloge, et répond en quelques phrases hésitantes mais chaleureusement applaudies.

Pourtant, si un familier du savant s'était trouvé dans l'assistance, il aurait été bien étonné. Peut-être même, entraîné par cet étonnement, se serait-il permis de murmurer :

— Mais voyons !... J'ai la berlue... Ce n'est pas Marie... Marie n'a tout de même pas suivi une cure de rajeunissement ?... C'est Irène !

Oui, c'est Irène ! Dans les universités éloignées des grands centres, la jeune fille a décidé de prendre la place de sa mère et elle remplit son rôle avec un sérieux qui présage bien de l'avenir. Quand on lui parle de ses travaux, elle n'a nulle envie de rire. Sur la grande estrade, avec son diplôme en parchemin dans la main, elle se met réellement dans la peau de la physicienne, et aux questions qu'on lui pose, elle répond simplement encore qu'avec pertinence. Ne rêve-t-elle de marcher sur les traces de Marie Curie ? N'est-elle pas la meilleure élève en sciences physiques et chimiques ? Ne travaille-t-elle pas au laboratoire avec cette même passion qui caractérisait la jeune étudiante Mania Sklodowska ?

Pendant ce temps, des journalistes entreprenants et audacieux pénètrent dans la chambre de « Madame Radium », le carnet de l'interview à la main.

— Qu'est-ce qui vous a le plus frappé dans la vie universitaire américaine ?

Marie réfléchit un moment pour répondre d'une voix posée dans un anglais très correct :

— D'abord, l'équipement des laboratoires. Vous, Américains, possédez des instruments de travail qui nous font absolument défaut en France. Ensuite, la vitalité des associations estudiantines féminines. Je ne me doutais absolument pas que ces associations pussent être si puissantes, si bien organisées. Ce sont de véritables petits états dans l'Etat. Et enfin, une chose qui, je crois, vous fera plaisir : la pratique du sport. Le corps n'y est jamais négligé au profit exclusif de l'esprit.

— Une autre question ! Que pensez-vous des hôpitaux que vous avez visités ?

Ils ne savent pas qu'ils retournent le couteau dans la plaie ! Les hôpitaux que Marie a vus possédaient tout un équipement de curiethérapie contre le cancer, certains même se spécialisaient entièrement dans les divers traitements par le radium ! Tandis qu'en France...

Elle s'exprimera sans détour :

— Ici, c'est merveilleux, mais chez nous il n'y a pas un seul hôpital où le traitement par le radium se soit imposé d'une façon décisive...

Après les réceptions et les interviews, après les dîners de gala et les fêtes de toutes sortes, après les discours et les titres honorifiques, enfin le grand jour est arrivé ! celui pour lequel Marie Curie s'est imposé ce voyage qu'elle n'appelle pas précisément un sacrifice, mais qui représente tout de même une grande fatigue et une perte de temps.

Le président Harding va lui offrir le coffret qui contient le gramme de radium.

La cérémonie sera simple et grandiose à la fois. Grandiose par sa simplicité même, par le contraste étonnant qu'elle fait avec les autres manifestations officielles organisées en l'honneur de la physicienne européenne.

Après un discours très paternel dans lequel il est question de la « noble créature, de l'épouse dévouée, de la mère aimante, qui en dehors de son œuvre écrasante a rempli toutes les tâches de la femme », Harding remet à son hôte la petite clef en or qui ferme le coffret, puis, des gens défilent, les photographes font leur métier et la cérémonie s'achève sur d'ultimes félicitations. Non, ça n'a pas été trop pénible !

Certains reporters se disent : « Une millionnaire de plus ! »

Et l'écrivent dans le compte rendu que publient les journaux du soir.

Mais, pour une fois, ils manquent de flair. La partie la plus intéressante à la cérémonie n'a pas lieu avec le président Harding, à la Maison Blanche, elle a lieu dans le cabinet de travail d'un avocat où Marie Curie se rend quelques heures plus tard. Et là, aucun journaliste n'a songé à suivre la célèbre physicienne.

Elle est d'abord rentrée à l'hôtel. Le parchemin de donation qu'elle tient à la main est déroulé sur une table et lu très attentivement. Mrs. Meloney sourit, encore sous l'effet de la joie que lui a procuré la petite manifestation de tout à l'heure. Enfin, la partie est gagnée pour elle ! Marie Curie possède son gramme de radium ! N'est-ce pas écrit en toutes lettres sur le rouleau ?

Cependant Irène s'aperçoit que sa mère est soucieuse. Ce pli vertical qui barre son front, non, ce n'est pas bon signe. Quelque chose ne vas pas !

— Mrs. Meloney, dit Marie Curie en se redressant, cet acte demande une modification. L'Amérique m'offre un gramme de radium, mais ce gramme de radium, je veux, moi, qu'il soit un cadeau fait à la science.

Aussi longtemps que je vivrai, il va sans dire qu'il ne sera employé qu'à la recherche désintéressée. Mais que deviendra-t-il après ma mort ? Je sais, il deviendra la propriété d'une ou de plusieurs personnes, pas d'un laboratoire. Mes filles pourront en disposer comme elles l'entendent. C'est vraiment impossible, comprenez-vous ? Absolument contraire, non seulement à mes principes, mais aussi à ceux de toute ma famille.

Et d'un ton qui n'admet pas de réplique :

— Pouvez-vous me conduire chez un avocat ?

— Et... et pourquoi donc ? s'affole la journaliste qui saisit mal.

— Je vous l'ai dit : pour modifier cet acte. Je désire qu'on y inscrive que je fais don de ce gramme de radium à mon laboratoire.

— Bien ! Tout à fait d'accord, chère Mary ! Mais est-ce si urgent ? Cela doit-il être fait tout de suite ? Vous êtes si fatiguée ?

Marie Curie demeure intransigeante. Une volonté de fer l'habite. Comme au temps du hangar. Comme au temps plus lointain encore de la rue des Feuillantines.

— Je puis mourir cette nuit, et dans ce cas, mon désir ne pourrait pas être respecté. Partons maintenant !

Mrs. Meloney apprend à son tour qu'on ne résiste pas à madame Curie.

■

Le voyage aux Etats-Unis consacre définitivement la gloire de la physicienne. Dans le Town Hall de New York, au-dessus d'un des sièges de marbre qui l'ornent, le visiteur peut lire à présent le nom de Marie Curie. Il y en a aussi un autre : Louis Pasteur. Pour les Américains, ce sont là les deux plus grands savants du monde occidental.

Mais le souvenir de Marie Curie se retrouve encore ailleurs, parfois même dans les endroits les plus inattendus. Le voyageur étonné découvre son portrait, non seulement dans les écoles spécialisées d'Europe et d'Afrique, mais encore en Chine. C'est en effet dans une vieille ville de province, à Tai Yuan Fou, qu'on pouvait voir à la veille de la seconde guerre mondiale — mais rien ne dit que cela a changé — l'effigie de Marie Curie placée à côté de celles de Bouddha, de Descartes et de Newton...

Celle que l'Académie des Sciences a refusé jadis d'accepter dans son sein est bien vengée.

Il est vrai que la silencieuse Marie s'en moque éperdument. Perdue dans ses souvenirs, vivant de cœur avec celui que la mort a enlevé si brutalement à sa tendresse secrète, s'intéressant uniquement aux activités de son laboratoire, elle est aveugle au monde extérieur...

11

A Berlin, la foule
courait pour acclamer
le boxeur Dempsey !... »
M. C.

Dans une des lettres que Marie Curie, au cours d'un voyage en Allemagne, écrit à ses filles, son opinion sur le monde transparaît singulièrement.

Je me trouve loin de vous deux, avoue-t-elle, et bien exposée à des manifestations que je ne puis aimer ni apprécier, parce qu'elles me fatiguent — aussi, suis-je un peu triste, ce matin.

A Berlin, une foule assemblée sur le quai de la gare courait et criait pour acclamer le boxeur Dempsey, qui descendait du même train que moi. Il avait l'air content. Y a-t-il au fond une grande différence entre accla-mer Dempsey et m'acclamer moi ? Il me semble que le fait d'acclamer de cette manière a en lui-même quel-que chose qui n'est pas à recommander, quel que soit l'objet de la manifestation. Je ne vois cependant pas clairement comment l'on devrait procéder, ni à quel degré il devrait être permis de confondre la personne avec l'idée qu'elle représente.

Ainsi, ce qu'elle disait jadis reste vrai : « *En science, nous devons nous intéresser aux choses, non aux personnes* », avec cette nuance que sa conception s'est élargie. Ce n'est plus « en silence » qu'elle pense, mais « dans la vie ».

Quelle impression lui laissent les grandes manifestations de sympathie dont elle continue à être honorée, on devrait presque dire : accablée ? Il est à peu près impossible de le savoir.

La voici devenue membre de l'Académie de Médecine, cette assemblée réparant ainsi l'affront que lui a fait son illustre consœur l'Académie des Sciences. Il s'agit d'une prise de position vraiment révolutionnaire. Les médecins ne se contentent pas d'accueillir une femme, mais au surplus, ils décident de l'élire spontanément, sans qu'elle ait à faire la traditionnelle cour des candidats.

Est-elle satisfaite, heureuse ? Bien fin qui le dira. Certes, elle est polie, aimable, sachant remercier par un doux sourire ou une parole choisie, mais on sent bien que le cœur n'y est pas. Marie Curie est absente, son cerveau toujours actif la conduit ailleurs : au laboratoire, à la campagne qu'elle aime avec le même sentiment tendre de sa jeunesse, du temps de Pierre et de la bicyclette. Le public lui en veut-il de ce dédain ? Pas du tout. On dirait même qu'il ne l'en chérit que plus. Et le fait est que l'ovation qui la salue chaque fois qu'elle apparaît devant une foule vaut en intensité celle que reçoit telle vedette du cinéma, de la politique ou des arts, vedette souriante, vedette communiquant avec la salle, vedette « chauffant » cette salle.

Marie est absente...

Mais pas uniquement dans les assemblées, dans ces

manifestations dont elle supporte mal le vide. Marie est toujours absente, n'importe où, dans n'importe quelles circonstances...

Elle habite maintenant une grande maison du quai de Béthume à Saint-Louis-en-l'Isle. Elle gagne sa vie plus qu'honorablement. Rien ne l'empêcherait de transformer l'appartement qu'elle occupe et dont la vue sur le vieux Paris est admirable, en un home quiet et confortable. Mais non ! Marie hait les rideaux et les tentures. Marie veut du soleil partout, du soleil qui luit sur quelques vieux meubles abîmés, sur des bibelots reçus de droite et de gauche. Marie ne voit pas dans quelles pièces lugubres elle vieillit doucement. Les chats peuvent tout endommager, le téléphone peut vibrer sans arrêt, le timbre de la sonnette retentir à rendre fou un sourd, le piano d'Eve cascader à longueur de soirée, cela ne la dérange absolument pas. Elle travaille...

— Marie, tu travailles trop !

Irène, à présent Irène Joliot-Curie, rend souvent visite à la physicienne, et elle s'apitoie sur cette femme âgée, sur cette solitaire. A quoi bon ? Marie la regarde à peine ou, si elle parle, c'est pour répondre :

— Ma chérie ! je t'assure que je suis très raisonnable. Je ne travaille jamais plus de douze heures par jour !

Elle trouve raisonnable douze heures de travail !

Même au laboratoire, il arrive que Marie soit absente. Ses amis en font parfois la cruelle expérience. Un jour l'un d'eux, sachant qu'Irène est malade, entre dans le local, voit madame Curie penchée sur un microscope, s'approche...

— Excusez-moi de vous déranger, je ne fais d'ailleurs que passer. Mais j'aimerais être rassuré sur l'état de santé de votre fille.

Elle ne bronche même pas. L'autre est obligé de répéter sa phrase, il doit toucher le bras de la distraite.

Marie sursaute. Elle a fort bien entendu néanmoins :

— Irène va mieux ! dit-elle d'une voix coupante. Au revoir !

Que se passe-t-il donc ? Lui en veut-on ? Tout penaud, il se retire sur la pointe des pieds.

Un peu plus tard, l'examen étant achevé :

— Les gens ne peuvent donc pas vous laisser travailler ! s'exclame-t-elle profondément indignée. Venir ici pour des bêtises !

Oui, ainsi est Marie, Marie qu'une de ses collaboratrices a décrite avec simplicité :

Elle est assise à l'appareil, faisant les mesures dans la demi-obscurité d'une pièce non chauffée, pour éviter les variations de température. La série d'opérations — ouvrir l'appareil, déclencher le chronomètre, soulever le poids, etc... — est effectuée par madame Curie avec une discipline et une harmonie de mouvements admirables. Aucun pianiste n'accomplirait avec plus de virtuosité ce qu'accomplissent les mains de madame Curie. C'est une technique parfaite, qui tend à réduire à zéro le coefficient de l'erreur personnelle.

» Après les calculs, que madame Curie fait avec empressement, pour comparer les résultats, l'on voit sa joie sincère, non dissimulée, parce que les écarts sont bien inférieurs à la limite admise, ce qui assure la précision des mesures. »

Marie Curie est absente... Pour des milliers de curieux, elle le sera toujours, elle devra l'être toujours, et entièrement. Chaque jour, en effet, des dizaines de lettres lui arrivent des quatre coins du monde, des lettres souvent sans adresse, avec cette simple mention :

« Madame Curie, France ». Beaucoup de correspondants lui demandent une photo signée, quelques mots de sa main. Par sa secrétaire, elle fait envoyer une formule, toujours la même : « Madame Curie, désirant ne point donner d'autographes ni signer de portraits, vous prie de l'excuser. » Mais d'autres correspondants sont des fous, des détraqués, des génies méconnus, des bricoleurs, qui estiment avoir accompli une œuvre de valeur. A ceux-là, Marie ne répond pas.

Marie Curie est absente... Même quand elle reçoit, la formule garde toute sa valeur.

Car la physicienne reçoit. Le mardi et le vendredi matin. En deux fois trois heures, elle expédie tous les gens qui désirent l'approcher, lui parler, lui poser des questions. Parfois ce sont des hommes des sciences, d'humbles chercheurs, des professeurs, le plus souvent la porte s'ouvre sur quelque journaliste en quête d'un papier.

Mais la secrétaire veille :

— Monsieur, je dois vous avertir que madame Curie ne donne jamais d'interview personnel. Seuls, les renseignements techniques retiennent son attention.

Si l'autre insiste quand même, s'il a encore le courage de franchir la porte, l'attitude du célèbre savant lui ôte toute envie d'engager l'entretien dans le sens souhaité. Un regard qui ne quitte plus la pendule, des doigts qui tambourinent nerveusement le tissus d'une pauvre petite robe noire, il a compris.

— Mes hommages, Madame !

Et le voilà sans avoir réussi à percer la personnalité de Marie Curie, ne sachant s'il va lâcher le sujet ou écrire quelques lieux communs sur cette femme au secret bien gardé.

■

Cette absente, va hélas devoir faire face à la maladie. Dès 1920, un médecin consulté l'avertit :

— Faites très attention à vos yeux, Madame. Une cataracte double risquera un jour prochain de vous plonger dans la nuit.

Tout d'abord, elle refuse d'y croire. Néanmoins, au bout de trois ans, elle doit se rendre à l'évidence : les contours se brouillent, une sorte de nuage passe entre ses yeux et les objets. L'opération est urgente.

Marie accepte, avec un doigt sur les lèvres.

— Mes enfants dit-elle à ses filles, je vous en supplie, pas un mot à personne. J'aurais horreur que le monde apprenne mon infirmité. Cela n'intéresse que moi.

Et au laboratoire, où elle travaille maintenant avec de grosses lunettes, ses aides, ses disciples, font des efforts touchants pour ne pas montrer leur surprise, pour éviter à leur maîtresse tout faux mouvement, tout geste qui lui rappellerait son malheur... Ils sont avec elle comme avec une personne normale. Parfois c'est bien fatigant !

Puis, ses yeux voient mieux, et de nouveau le travail reprend comme avant, douze heures, treize heures, et même quatorze à passer sur des livres, sur des carnets de notes, au laboratoire...

La vie continue donc, Marie ose de nouveau faire des projets. Non seulement des ouvrages à écrire, des recherches à poursuivre, mais aussi une maison à construire à Sceaux, des aménagements à porter à une villa qu'elle possède dans le Midi.

Se décidera-t-elle à « exister », à se comporter comme tout le monde, à jouir enfin de quelques bonnes années pleines de paresse et de bêtise ?

Hélas, non !

A la fin de l'année 1933, elle passe à la radiographie. Un calcul important est décelé dans la vésicule biliaire. Or, Marie sait que son père a été emporté par le même mal.

Bronia qui habite toujours la Pologne, mais qui a perdu son mari, le docteur Dluski, le bon Casimir de la jeunesse de Marie, ainsi que ses deux enfants, vient passer quelques jours de vacances en France. Les deux sœurs tombent dans les bras l'une de l'autre et Marie finit par sangloter comme un enfant.

Tant bien que mal, Bronia console sa cadette.

— Allons, allons ! lui murmure-t-elle à l'oreille. Quand tu iras mieux, tu viendras à Varsovie. Nous passerons des heures exquises dans notre vieille ville, à nous deux, rien qu'à nous deux...

Des heures exquises !... Bronia sent bien que ce n'est pas vrai, Bronia sent bien sur le quai de la gare du Nord où la séparation a lieu que c'est la dernière fois qu'elle serre Marie dans ses bras, qu'une autre heure approche, déchirante...

De la gare du Nord, Marie se rend directement au laboratoire. Pour se consoler du départ de Bronia, elle veut s'abrutir dans le travail.

Mais devant la table où sont alignés les instruments familiers, elle se sent sans forces. Ses mains tremblent. De grands frissons secouent son corps.

— Ça ne va pas..., gémit-elle.

Et, à un collaborateur qui passe :

— J'ai la fièvre. Je vais rentrer.

12

« N'oubliez pas, Georges !...
Le rosier !... »

M. C.

On n'a pas très bien su, à Paris, de quel
mal Marie Curie souffrait exactement, et les médecins,
pour apaiser leur conscience, ont conseillé à Irène et
Eve d'envoyer leur mère dans un sanatorium.

— Mais maman n'est pas tuberculeuse ! proteste Irène.

Ces messieurs de la Faculté font la moue. Pas tuberculeuse ? Pourtant les radiographies du poumon sont
voilées par des inflammations.

— Un séjour en montagne ne peut que lui faire le
plus grand bien ! déclarent-ils péremptoirement.

Irène s'incline. Marie, trop faible pour émettre une
opinion, fait tout ce qu'on lui demande. On veut qu'elle
aille à la montagne ? Eh bien, elle ira à la montagne !...
Où ?... A Sancellemoz. Va donc pour Sancellemoz !

Toutefois, avant de quitter l'appartement du quai de
Béthune, un dernier sursaut d'énergie la dresse devant
une de ses collaboratrices venue lui dire au revoir.

— Ecoutez-moi, conseille-t-elle de sa même voix toujours voilée. Il faut enfermer l'actinium avec grand soin, le mettre à l'abri jusqu'à mon retour. Je compte d'ailleurs sur vous pour tout garder en bon ordre. Nous reprendrons notre travail après les vacances.

A Sancellemoz, de nouvelles radiographies sont prises. Paris s'est trompé. Les poumons de Marie Curie sont indemnes. Ce n'est pas la tuberculose. Mais la malade est trop épuisée pour songer immédiatement au voyage du retour et ses filles l'installent dans la plus belle chambre.

Tout de suite, cette chambre va sentir la mort. Les médecins du sana, un grand spécialiste de Genève se relaient au chevet de Marie. Le professeur Roch procède à un examen du sang. Le résultat est terrifiant : les globules rouges aussi bien que les globules blancs disparaissent rapidement. Anémie pernicieuse foudroyante...

— Il n'y a plus d'espoir ?... s'informe Eve restée avec sa mère.

On lui laisse entendre que non, que la fin est proche.

— Madame Curie garde toute sa lucidité, ajoute encore un docteur. Pendant que nous apaiserons ses souffrances physiques, je vous demanderai de soigner son âme. Qu'elle garde son calme et sa confiance !

Eve accepte...

■

Dans sa chambre illuminée par un beau soleil de juillet, Marie Curie se meurt.

Et comme toute personne qui met le temps pour mourir, qui prend ses aises avec le grand passage, des images que leur ancienneté rendent heureuses lui reviennent à la mémoire.

Des images de son enfance, alors que petite fille elle courait dans les rues d'une Varsovie occupée, alors qu'elle avait une maman, un père, des frères, des sœurs, une grande maison bruyante...

En ce temps-là, elle ne s'appelait pas Marie. On disait : « Viens ici, Maniusa !... » Ou encore : « Comme tu es rouge, comme tu as couru, mon Anciupecio... »

Elle a quatre ans. Elle est une grosse petite fille qui adore jouer avec sa sœur Bronia, son aînée. Mais aujourd'hui Bronia est sérieuse. Tant pis pour la campagne et les courses à travers le jardin ! Elle a reçu un livre, un livre avec des images et de grandes lettres qu'on lui dit être l'alphabet et qu'elle doit apprendre par cœur. C'est très difficile ! Elle se demande comment font les grandes personnes, convaincue qu'elle ne pourra jamais.

— Anciupecio ! appelle-t-elle.

— Quoi, Bronia ?

— Viens jouer professeur ! Tiens mon livre !

La cadette obéit avec plaisir. Encore plus que les jeux, elle aime l'étude. Comment Bronia peut-elle trouver ennuyeux d'apprendre ?

Un matin, les deux fillettes se trouvent réunies dans la salle commune avec leurs parents. Ceux-ci demandent à Bronia de montrer son savoir. La petite rougit, mais se penche courageusement sur son texte et commence à lire, non, à ânonner. Ça ne va pas très bien. A chaque instant, elle s'arrête, cherche désespérément dans sa cervelle rebelle, lève les yeux au ciel, retourne à son livre. Jusqu'au moment où Marie, impatientée, le lui arrache des mains et, devant les parents étonnés, lit sans difficulté la première phrase.

Heureuse, elle regarde Bronia, puis son père et sa mère. Bronia ne demande pas mieux, la corvée est évitée, sa cadette la sauve. Mais papa et maman Sklodowski ouvrent de grands yeux et aucun des deux n'a la présence d'esprit de dire : « C'est très bien, Anciupecio ! Continue... » Le plus profond silence règne dans la pièce.

Tout d'abord, l'enfant ne s'en aperçoit pas. Déjà sa petite tête bouclée s'est penchée à nouveau sur le livre et ses lèvres articulent clairement le texte. Les parents sont de plus en plus stupéfaits. Ont-ils mis au monde un bébé prodige ? Jamais personne ne lui a appris à lire, et voilà qu'elle se débrouille toute seule dans un livre où l'aînée, pourtant point idiote, bute à chaque mot.

Mais Marie a fini. Elle est au bout de la page. Elle ferme le grand livre. Et, alors seulement, elle se rend compte que tout le monde se tait, que son père la contemple avec de grands yeux.

Elle prend peur.

Dans sa petite conscience, l'idée d'une faute s'incruste. Elle doit avoir mal agi. A quatre ans, on ne lit pas dans les livres. Une grimace tord sa bouche, des larmes lui montent aux yeux, son corps est secoué de gros sanglots.

— Pardon, pardon ! bredouille-t-elle en se précipitant dans les bras de sa mère... Je ne l'ai pas fait exprès... Ce n'est pas ma faute... Non, maman, ce n'est pas ma faute... C'est parce que c'est tellement facile !...

Oui, telle a été la première manifestation de sa stupéfiante intelligence...

Quelques années passent. Maintenant, Marie a le droit de lire ; maintenant, Marie est une vraie fillette, non plus un bébé. Son père ne lui permet-il pas d'aller toute seule dans son cabinet de travail ? Et le fait est qu'elle adore cette grande pièce tapissée de livres énormes, cette pièce dont un pan de mur est occupé par une immense vitrine derrière laquelle sont alignés des bibelots aux formes étranges.

Elle pense : « Pourquoi qu'il n'y en a pas dans les autres chambres ? C'est si beau ! »

Doucement, elle s'est approchée. Elle a le nez collé contre la vitre. Sa contemplation est à ce point profonde qu'elle n'entend pas la porte s'ouvrir ni son père venir derrière elle.

— Qu'est-ce que tu regardes ainsi, Mania ? dit-il doucement.

Mais Mania sursaute. Elle était si loin... Comme dans un rêve...

— Papa, murmure-t-elle alors en montrant les « bibelots » de son minuscule index rose ; papa ! qu'est-ce que c'est ?

Le père sourit, se penche.

— Ce sont des appareils de physique, Mania. Des ap-pa-reils de phy-si-que !

Pour qu'elle comprenne bien ces mots nouveaux et difficiles, il articule soigneusement.

Mais Marie Sklodowska n'a pas besoin de précautions pédagogiques. Elle a très bien compris. Jusqu'au soir, elle chantera un air qu'on lui a appris, et dessus, elle mettra des paroles à elle.

La petite fille chante inlassablement :

« Ap-pa-reils de phy-si-que... Ap-pa-reils de phy-si-que... »

D'autres années encore ! La fillette est devenue une demoiselle. Son monde aussi s'est élargi. Au-delà de la maison et du jardin, elle sait qu'il y a un pays qui souffre et qui est son pays. Elle sait que ces hommes sournois qui rôdent dans l'école de son papa — car son papa est directeur d'école — est un ennemi, un Russe.

Un surveillant lui fait particulièrement horreur. Il

s'appelle Iwanow. C'est un être grossier. Il aime a vexer les petits Polonais que la loi oblige à étudier le Russe et il n'est jamais si heureux qu'à l'instant où il peut les prendre en faute.

— Tas de fainéants ! grogne-t-il alors. Vous êtes trop bêtes pour comprendre les beautés de la langue russe ! Vous mêlez le polonais à toutes vos phrases.

Mais un jour, monsieur Sklodowski prend la défense d'un de ces petits malheureux.

— Vous prétendez que cet élève parle mal et abuse de polonismes ! Sans doute est-ce vrai. Mais tout le monde peut se tromper, et vous-même, cher monsieur Iwanow, dans une de vos circulaires, avez employé quelques tournures vicieuses. Si vous le voulez, je vous les montrerai.

Le surveillant russe est devenu tout pâle.

— Vous, gronde-t-il, vous aurez de mes nouvelles ! Je vous briserai !

Et il lui tourne le dos.

La brute tiendra parole. A quelque temps de là, les Sklodowski seront obligés de quitter l'appartement réservé au directeur. Le père de Marie n'est plus qu'un simple professeur sans avenir.

Et voilà pourquoi, quand elle sera en âge de gagner un peu d'argent, quand elle aura acquis des connaissances suffisantes, Marie quitte la maison paternelle.

— Je vais enseigner aux étrangers ! annonce-t-elle en souriant. Ainsi, nous vivrons mieux, et un jour, lorsque j'aurai épargné une jolie somme, j'irai à Paris. Pour devenir très savante.

■

Madame Curie s'agite, madame Curie se plaint doucement. Comme son lit est chaud ! Comme cette lumière est dure, aveuglante ! Ne pourrait-on tirer les rideaux ?

— Maman !

Elle tourne la tête. Tiens, quelle est cette belle jeune fille qui lui sourit ? Elle ne reconnaît pas Eve, Eve qui ne quitte plus son chevet. A sa place, elle aperçoit dans une sorte de flou une autre jeune fille, qui lui ressemble d'ailleurs, qui est elle-même, mais il y a longtemps, bien longtemps.

Marie est à la campagne. Une campagne sans grâce, avec des champs et des usines. Marie pleure. Casimir lui a demandé sa main, mais ses parents ont opposé le refus le plus formel à cette union. On n'épouse pas une gouvernante. Et Casimir, en fils obéissant, s'incline devant leur volonté.

Mais vite, séchons ces larmes ! La vie est belle que diable ! Et Marie a bien du charme !

Sur les lèvres de la mourante, Eve étonnée voit passer un sourire. A quoi donc peut bien penser sa mère ? Au laboratoire ? Aux heures exaltantes avec Pierre Curie ?

Non, dans la tête de Marie, ce sont d'autres images qui défilent. Des images d'avant sa légende. Une lettre, écrite à Bronia, et datant de cette époque-là, lui revient à la mémoire avec une facilité presque effrayante. Elle lit :

J'ai goûté une fois de plus aux délices du carnaval samedi dernier, au kulig chez les Luniewski, et j'imagine que plus jamais je ne m'amuserai autant, car les bals ordinaires, en habits et robes du soir, n'excitent pas cet entrain, cette gaieté folle. Nous sommes arrivés assez tôt, avec madame Burdzinska. Je m'étais improvisée coiffeuse et j'avais frisé toutes les jeunes filles pour le kulig — très joliment ma foi ! Il y a eu divers incidents de route : on a perdu et retrouvé les musiciens, un des équipages a versé, etc... Lorsque le staroste est arrivé, il m'a annoncé que j'avais été choisie

comme demoiselle d'honneur du kulig. et il m'a pré-
senté mon garçon d'honneur, un jeune homme de Cra-
covie, très beau et très élégant. Ce kulig a été, d'un
bout à l'autre, un ravissement. Nous avons dansé une
mazurka blanche à huit heures du matin au grand
jour. Et quels beaux costumes ! Il y a eu aussi un
exquis « oberek » à figures, et il faut que tu saches
maintenant que je danse l'oberek à la perfection. J'ai
tellement dansé que, pendant les valses, j'avais plusieurs
tours retenus d'avance. Si j'avais le malheur de sortir
un instant pour reprendre haleine, mes cavaliers se pos-
taient dans l'embrasure de la porte afin de me guetter
et de m'attendre.

En un mot, peut-être que plus jamais, jamais de toute
ma vie, je ne m'amuserai ainsi. Il m'est resté de cette
fête une grande nostalgie. Nous avons décidé avec
tante que, si un jour je me mariais, l'on me ferait un
mariage à la cracovienne, comme la noce du kulig. Na-
turellement, ce sont là des plaisanteries — mais il est
certain que ce projet me souriait fort !

Un mariage à la cracovienne !... Plus jamais je ne
m'amuserai ainsi !... Comme cela ressemble peu à madame Curie, la plus célèbre physicienne du monde !
Comme ce monde-là est loin, mort depuis longtemps.

Il y a eu cette passion exclusive pour la science, il y a
eu Pierre...

Un homme plutôt grave, très grand, un peu voûté,
au regard très doux, un homme qui bavarde dans l'embrasure d'une fenêtre et qui a peur des femmes.

C'est ainsi qu'apparaît une dernière fois Pierre Curie à cette vieille femme assassinée à petit feu par la
science...

— Georges !...

Eve qui rêvait a sursauté. A qui l'agonisante fait-elle
allusion ? Il n'y a pas de Georges parmi les amis.

Mais madame Curie s'agite beaucoup. Des gouttes de sueur perlent à présent sur son front dégagé.

— Maman, maman ?... Qu'y a-t-il ?...

Elle croit entendre une autre voix.

— Georges ? reprend-elle, regardez donc ce rosier ! Il faut s'en occuper tout de suite !

Cette fois, Eve a compris. Sa mère doit être en train de se promener dans le jardin de l'Institut du Radium. Georges, un préparateur du labo, aime les fleurs et a pris sur lui de s'occuper des plates-bandes.

— N'oubliez pas, Georges ! Le rosier...

C'était il y a quelques semaines à peine, juste avant la venue du mal...

■

Le 4 juillet 1934, Marie Sklodowska-Curie meurt après une agonie de seize heures. Les corps radio-actifs que la physicienne a toujours manipulés avec un manque complet de précautions sont parvenus à maîtriser cette femme qui prenait si peu de place, qui paraissait si fragile, mais qui résistait à tout et savait commander.

Eve ferme les yeux de sa mère.

La triste nouvelle peut commencer son tour du monde. Elle se répand d'abord dans le sanatorium où le silence devient plus profond encore que d'habitude, puis, passant par-dessus les montagnes, touche Jacques Curie à Montpellier, Mrs. Meloney à Londres, Bronia et Joseph Sklodowski, son frère, à Berlin, Hela, une autre sœur, à Varsovie.

Des êtres en pleurs quittent leurs occupations, prennent un train.

A Paris, les amis sont atterrés. Ils n'y croyaient pas, eux ! Tant de fois, ils avaient vu la physicienne faiblir pour se reprendre, tant de fois elle leur avait donné une image toute en force de sa personne, qu'ils s'étaient mis dans la tête qu'elle ne pouvait pas mourir. Du moins, pas si vite, comme ça, dès la première alerte sérieuse...

Ses élèves, réunis dans le laboratoire où personne ne songe à toucher aux appareils, pleurent silencieusement. Ils pensent : « Nous avons tout perdu ! » Quelqu'un le dira même, soudain, à haute voix.

C'est à Sceaux qu'on l'enterrera.

Avant de mourir, elle avait déclaré :

— Je voudrais des obsèques très simples, sans discours, sans cortège officiel. Seuls mes amis m'accompagneront jusqu'à ma dernière demeure.

Sa volonté sera respectée. Quelques vieux savants, en suivant vers le cimetière le corbillard sans ornement, se souviennent d'une autre cérémonie : ils revoient Pierre et Marie le jour de leur mariage. Pierre et Marie se rendant à la mairie de Sceaux juchés sur leurs bicyclettes. Et par-delà les ans, ils découvrent des similitudes entre les jours de joie et ceux de deuil. Marie et Pierre sont morts comme ils ont vécu : le plus simplement possible, avec pour seul souci la vérité !

Pas de décor, sinon un décor naturel.

◼

Au cimetière, c'est sur le cercueil de Pierre que les fossoyeurs déposent la bière de Marie. Normalement, il n'aurait pas dû en être ainsi, le vieux docteur Curie étant mort après son fils, en 1910. Pierre reposait au fond du caveau, le docteur avait été placé au-dessus, et il restait une place pour Marie.

Pour l'éternité, il y avait entre le cadavre de la physicienne et celui de son mari, le corps d'un autre...

Marie ne le supporta pas.

Quelques jours après l'enterrement de son beau-père,

alors qu'il gelait à pierre fendre, elle retourna au cimetière, et, réunissant quelques fossoyeurs :

— J'ai un travail à vous demander. S'il y a moyen (mais ce n'était qu'une formule de politesse de sa part, car en son for intérieur, elle avait décidé qu'il y aurait moyen), je désire que vous changiez la position des cercueils. Mettez la bière du docteur Curie au fond et celle de mon mari au-dessus.

Les ouvriers s'exécutèrent et Marie, méfiante, resta jusqu'à la fin.

Longtemps, elle devait regarder le trou béant où un jour son propre corps serait descendu.

Mais son regard gardait un calme étrange. Elle se voyait morte. Elle avait rejoint son amour.

Oui, ainsi était cette femme étonnante qui, un soir de confidence, avait avoué : « L'amour n'est pas un sentiment honorable », peut-être avait-elle peur de cette grande force qui l'habitait, peut-être était-elle une amoureuse totale ?

Marie, Marie, douce absente, qui donc vous a connue vraiment ?

FIN

MAGAZINE

Mademoiselle

Nº 56

LES PERSONNALITES SUIVANTES ONT FIGURE DANS CE LIVRE

Paul Appell : Professeur de Marie Curie à la Sorbonne, il a appuyé sa candidature à la chaire de physique de la célèbre école. Membre de l'Académie des Sciences, recteur de l'Académie de Paris, ce mathématicien dont Marie Curie n'oubliera jamais une phrase de sa première leçon : « Je prends le soleil et je le lance... », est né à Strasbourg en 1855 et meurt à Paris en 1930.

Henri Becquerel : Fils et petit-fils de savants, titulaire du Prix Nobel de 1903, ce chercheur qui a étudié l'urane découvre le phénomène auquel Marie Curie donnera plus tard le nom de radio-activité. C'est intrigués par les rayons de Becquerel, dont on ignore la nature, que les Curie vont, en effet, se lancer dans les recherches qui les rendront célèbres. Né à Paris en 1852, Becquerel est mort au Croisic en 1908.

Edmond Bouty : Autre professeur de Marie Curie. Né en Nant, dans l'Aveyron, en 1846, ce physicien à qui l'on doit des travaux sur l'électrolyse et les diélectriques, est mort à Paris en 1922.

Irène Curie : Fille aînée de Pierre et Marie Curie, née à Paris en 1897, elle découvre avec son mari Frédéric Joliot la radio-activité artificielle. Prix Nobel de chimie en 1935. S'occupe de l'étude de l'énergie atomique. Sa sœur **Eve Curie** n'est pas une savante. Journaliste de renom, elle a écrit un livre sur sa mère, « Madame Curie », qui a connu un succès retentissant.

Marie Curie : Née à Varsovie en 1867, morte à Sancellemoz en 1934. De son vrai nom Marie Sklodowska, elle devient madame Pierre Curie le 26 juillet 1895. Deux fois Prix Nobel, seul professeur féminin de la Sorbonne, en 1898 elle découvre le radium en traitant les résidus barytiques de la pechblende.

Pierre Curie : Né à Paris en 1859 et mort accidentellement en 1906, écrasé par un camion qui passait à proximité du Pont-Neuf. Ses travaux sur le radium ont été faits en collaboration avec sa femme.

Albert Einstein : Prix Nobel 1921, ce grand physicien allemand fut un grand ami de Marie Curie. Surtout connu pour sa création de la théorie de la Relativité, il a profondément marqué la science moderne et intervint fréquemment en faveur de la paix.

Loïe Füller : Danseuse américaine née à Chicago en 1869. morte à Paris en 1928. Abusa des voiles et des projecteurs. Très simple, un peu naïve, sut plaire aux Curie qui l'invitèrent souvent chez eux.

Dydynska : Mathématicienne polonaise qui fit ses études à la Sorbonne. Amie d'université de Marie Curie.

Gabriel Lippmann : Prix Nobel de 1908, ce savant qui s'est illustré par des travaux sur l'électricité et la photographie des couleurs, né à Hollerich (Luxembourg) en 1845, mort à bord du paquebot « France » en 1921, a été un des professeurs de Marie Curie à la Sorbonne.

Charles Maurain : Ami et condisciple de Marie Curie. Né

en Orléans en 1871, a étudié les cycles d'aimantation, l'action de l'air sur les avions, la séismologie et la météorologie.

Ignace Paderewski : Président du Conseil de la République polonaise en 1919, pianiste célèbre dont on admire surtout la virtuosité et la fougue, il était un habitué du ménage Dluski apparenté à Marie Curie par la femme, Bronia Sklodowska. Né en Podolie en 1860, il mourut aux Etats-Unis en 1941.

Paul Painlevé : Ami et condisciple de Marie Curie. Né à Paris en 1863 et mort dans la même ville en 1933, il a été non seulement un grand savant, mais encore un homme politique de tout premier plan. Président du Conseil en 1917 et en 1925, ministre de la Guerre en 1917 et de 1925 à 1928, ministre de l'Air en 1932, il s'est rendu célèbre dans le domaine des sciences par des recherches sur les équations différentielles et les fonctions elleptiques.

Jean-Baptiste Perrin : Ami et condisciple de Marie Curie. Né à Lille en 1870 et mort à New York en 1942, il s'est fait connaître par des travaux sur les rayons cathodiques et le mouvement brownien. Prix Nobel de physique en 1926.

QUELQUES DEFINITIONS UTILES

Radium : Métal rare découvert en 1898 par les Curie et Brémont dans les résidus barytiques obtenus au cours du traitement de la pechblende. La pechblende est un minerai d'urane dont il faut plusieurs tonnes pour obtenir quelques décigrammes de sels de radium. On isole le radium par l'électrolyse de son chlorure, en présence du mercure. Il décompose l'eau à froid et fond à 700 degrés. L'atome de radium se décompose en une période de 2900 ans en donnant de l'hélium et du radon (émanation gazeuse). Ce radon dégage à son tour de l'hélium et dépose de nouvelles substances radio-actives.

Le radium émet une grande quantité d'énergie. Un gramme donne en effet une quantité d'énergie égale à celle qui est développée dans la combustion de 300 kg de charbon. Ses radiations détruisent les tissus et ont une grande action bactéricide, action utilisée surtout dans la lutte contre le cancer.

Radio-activité : Certains corps, tels que le radium, le polonium, l'uranium émettent des rayons susceptibles d'ioniser les gaz, d'impressionner les plaques photographiques et d'exercer une action physiologique (parfois thérapeutique) durable. Cette propriété est de la radio-activité. Elle a été découverte en 1896 par le savant français Henri Becquerel qui travaillait sur l'uranium.

La radio-activité d'un corps se mesure. L'unité de cette mesure s'appelle « le curie ».

Curiethérapie : On dit aussi radiumthérapie. C'est une méthode de traitement médical fondée sur l'emploi du radium. Le radium a trois sortes de radiations dont certaines agissent comme bactéricides (rayons alpha) et d'autres, les rayons gamma, avec des propriétés voisines de celles des rayons X, mais au pouvoir de pénétration plus grand.

Uranium : Un corps simple et métallique extrait de l'urane trouvé dans la pechblende, en 1789, par Klaproth. Tous les composés de l'uranium sont radio-actifs et c'est sur eux que Becquerel découvrit le phénomène de la radio-activité.

C'est aussi le noyau d'uranium qui, bombardé par des neutrons bruts, subit une fission en produisant une quantité d'énergie énorme. C'est cette opération, associée au phénomène de réactions en chaîne, qui se trouve au départ de la bombe atomique.

LA LIGNE DE GLOIRE DE MARIE CURIE...

1898 Découvre le radium.

1903 Prix Nobel de Physique avec Pierre Curie et Henri Becquerel.

1906 Marie Curie est nommée chargée de cours à la Sorbonne.

1908 Marie Curie est nommée professeur titulaire à la Sorbonne.

1910 Publie son « Traité de Radio-activité ».

1911 Prix Nobel de Chimie.

1914 Inauguration de l'Institut du Radium et du Pavillon Curie.

1921 Les Etats-Unis offrent à Marie Curie un gramme de radium (valeur 100 000 dollars, soit 35 millions de francs français).

1922 Membre de la Commission Internationale de Coopération Intellectuelle de la S. D. N.

1922 Inauguration de l'Institut du Radium à Varsovie.

1922 Membre à l'unanimité de l'Académie de Médecine.

Marie Curie possède 107 titres honorifiques, s'est vue

décerner 10 prix et 16 médailles. Son nom figure au-dessus d'un des sièges du Town Hall de New York, honneur qu'elle partage avec Pasteur.

... ET SA LIGNE DE PEINE

1886   Une déception sentimentale lui donne des idées de suicide.

1906   Mort de Pierre Curie.

1910   Refuse la Légion d'Honneur.

1911   L'Institut repousse Marie Curie par une voix. Le siège que le monde entier lui voit déjà attribué va à Edouard Branly.

1912   Une campagne diffamatoire est entreprise contre la savante par des pense-petit qui lui reprochent ses origines étrangères et attaquent sa vie privée pourtant irréprochable.

1920   Premières menaces de cécité.

1934   A partir du mois de mai, elle ne peut plus travailler. Le 4 juillet, Marie Curie meurt victime à longue échéance du radium.

CE QU'ON DISAIT...

CE QU'ILS DISAIENT...

Les journaux de l'époque, les communications scientifiques, certaines lettres sont autant de documents qui éclairent, sans trop brouiller la vérité, les visages de Pierre et Marie Curie.

C'est pourquoi nous donnons ci-dessous quelques extraits de ces documents, croyant qu'ils pourront vous servir dans votre recherche d'une connaissance plus approfondie des deux êtres d'élite avec qui vous aurez passé un moment peut-être exaltant...

P. Acker, dans « L'Echo de Paris » au sujet du hangar :

Derrière le Panthéon, dans une rue étroite, sombre et déserte, telle qu'en représentent les eaux fortes illustrant de vieux et mélodramatiques romans, la rue Lhomond, entre des maisons noires et lézardées, au bord d'un trottoir tremblant, une misérable baraque dresse sa cloison de bois :

c'est l'Ecole Municipale de Physique et de Chimie...

Je traversai une cour dont l'enceinte lamentable avait subi les pires injures du temps, puis une voûte solitaire où résonnèrent mes pas, et je me trouvai dans un cul-de-sac humide où mourait, dans un coin, entre des planches, un arbre tordu. Là, des manières de cabanes s'étendaient, longues, basses, vitrées, où j'apercevais des petites flammes droites et des instruments de verre aux formes variées... Nul bruit : un silence profond et triste ; l'écho de la ville n'arrivait même pas jusque-là.

Au hasard, je frappai à une porte, et j'entrai dans un laboratoire d'une étonnante simplicité : le sol était de terre battue et bosselée, les murs de plâtre gâché, le toit de lattes peu solides, et la lumière pénétrait faiblement par les fenêtres poussiéreuses. Un jeune homme, penché sur un appareil compliqué, releva la tête : « Monsieur Curie, dit-il, il est là ». Et aussitôt il reprit son travail. Des minutes s'écoulèrent. Il faisait froid. D'un robinet, des gouttes d'eau tombaient. Deux ou trois becs de gaz brûlaient.

Enfin, un homme apparut, grand, maigre, la figure osseuse, la barbe grise et rude, coiffé d'un petit béret usé. C'était M. Curie...

Pierre et Marie communiquent officiellement leur découverte

Nous croyons que la substance que nous avons retirée de la pechblende contient un métal non encore signalé, voisin du bismuth par ses propriétés analytiques. Si l'existence de ce nouveau métal se confirme, nous proposons de l'appeler *polonium*, du nom du pays d'origine de l'un de nous...

... Les diverses raisons que nous venons d'énumérer nous portent à croire que la nouvelle substance radio-active renferme un élément nouveau, auquel nous proposons de donner le nom de *radium*. La nouvelle substance radio-active renferme certainement une grande proportion de baryum ; malgré cela, la radio-activité est considérable. La radio-activité du radium doit donc être énorme.

Marie Curie se plaint

... En définitive, un des premiers savants français n'eut jamais à sa disposition un laboratoire convenable, alors que son génie s'était révélé dès l'âge de vingt ans. Sans doute, s'il eût vécu plus longtemps, il eût bénéficié tôt ou tard de conditions de travail satisfaisantes — mais, à quarante-sept ans, il en était encore dépourvu. Imagine-t-on le regret de l'ouvrier enthousiaste et désintéressé d'une grande œuvre, retardé dans la réalisation de son rêve par le manque constant de moyens ? Et pouvons-nous songer sans un sentiment de peine profonde au gaspillage, irréparable entre tous, du plus grand bien de la nation : le génie, les forces et le courage de ses meilleurs enfants ?

Il est vrai que la découverte du radium a été faite dans des conditions précaires : le hangar qui l'a abritée apparaît revêtu des charmes de la légende. Mais cet élément romanesque n'a pas été un avantage ; il a usé nos forces et retardé les réalisations. Avec des moyens meilleurs, on eût pu réduire à deux ans les cinq premières années de notre travail, et en atténuer la tension.

Marie Curie et les « grands problèmes »

Je suis de ceux qui pensent que la science a une grande beauté. Un savant dans son laboratoire n'est pas seulement un technicien : c'est aussi un enfant placé en face des phénomènes naturels qui l'impressionnent comme un conte de fées. Nous ne devons pas laisser croire que tout progrès scientifique se réduit à des mécanismes, des machines, des engrenages qui, d'ailleurs, ont aussi leur beauté propre.

Je ne crois pas, non plus, que dans notre monde l'esprit d'aventure risque de disparaître. Si je vois autour de moi quelque chose de vital, c'est précisément cet esprit d'aventure qui paraît indéracinable et s'apparente à la curiosité...

Le Président de l'Académie de médecine à Marie Curie lors de son élection

Nous saluons en vous une grande savante, une femme de cœur qui n'a vécu que pour le dévouement au travail et l'abnégation scientifique, une patriote qui, dans la guerre comme dans la paix, a toujours fait plus que son devoir. Votre présence ici nous apporte le bienfait moral de vos exemples et la gloire de votre nom. Nous vous en remercions. Nous sommes fiers de votre présence parmi nous. Vous êtes la première femme de France qui soit entrée dans une Académie, mais quelle autre en aurait été aussi digne ?

Marie Curie et la pauvreté

Un grand nombre de mes amis affirment, non sans raisons valables, que si Pierre Curie et moi avions garanti nos droits, nous aurions conquis les moyens financiers nécessaires à la création d'un Institut de Radium satisfaisant, sans nous heurter aux obstacles qui ont été un handicap pour nous deux, et qui sont encore un handicap pour moi. Pourtant, je demeure convaincue que nous avons eu raison.

L'humanité a certainement besoin d'hommes pratiques, qui tirent le maximum de leur travail et, sans oublier le bien général, sauvegardent leurs propres intérêts. Mais elle a besoin aussi de rêveurs, pour qui les prolongements désintéressés d'une entreprise sont si captivants qu'il leur devient impossible de consacrer des soins à leurs propres bénéfices matériels.

A n'en pas douter, ces rêveurs ne méritent pas la richesse, puisqu'ils ne l'ont pas désirée. Toutefois, une société bien organisée devrait assurer à ces travailleurs les moyens efficaces d'accomplir leur tâche, dans une vie débarrassée de soucis matériels et librement consacrée à la recherche.

Mademoiselle PETITS PLATS

- **Kapusniak**

> *1 kg de choucroute — 2 oignons — 2 cuill. de farine — 50 à 100 g de graisse de porc — 1 poireau — ½ pied de céleri — 250 g de lard — sel et poivre.*

Cuire la choucroute dans trois litres d'eau pendant une heure. Y ajouter ensuite les oignons hachés revenus dans la graisse de porc et la farine en pluie. Ajouter encore le céleri, le poireau, le lard (non salé) en dés. Saler et poivrer. Cuire à nouveau deux heures.

● Poulet à la polonaise

> *1 poulet d'environ 1 kg — si possible 100 g de gros sel — 2 œufs — 1 cuill. chapelure — 1 bonne poignée de persil.*

Vider et brider le poulet et le mettre deux heures à l'eau froide. L'essuyer, le frotter de sel à l'intérieur et à l'extérieur (employer de préférence le gros sel).

Travailler un bon morceau de beurre avec deux jaunes d'œufs, de la chapelure, du persil haché, le foie de la volaille revenu au beurre et pilé. Ajouter deux blancs d'œufs en neige et farcir le poulet. Coudre. Mettre au four chaud dans un plat graissé et cuire en l'arrosant d'eau. (Cuisson : de soixante à nonante minutes suivant le poulet.)

● Baba polonais

> *¼ l de lait frais — 15 à 20 g de levure — 2 œufs — 60 g de beurre — 15 g de sucre — 225 g de farine — 2 dl de rhum — 50 g de chocolat — 100 à 150 g de Chantilly.*

Faire tiédir le lait, y délayer la levure. Ajouter deux œufs battus, le beurre, le sucre et bien mélanger.

Incorporer au mélange la farine et travailler en pâte molle. En remplir à moitié un moule. Placer en endroit tiède. La pâte levée, faire cuire une heure à four moyen. Laisser refroidir. Démouler.

Arroser d'un sirop chaud au rhum et glacer au chocolat. Servir avec la crème fouettée.

(Extrait du MS 19)

OU ADRESSER VOTRE CORRESPONDANCE :

A Mademoiselle Magazine :

France   : 118, rue de Vaugirard, Paris, VIᵉ ;
Belgique : 59, rue Montoyer, Bruxelles 4 ;
Suisse   : 1, rue de la Paix, Lausanne ;
Canada   : 226, Est, Christophe Colomb, Québec.

Le prochain Mademoiselle :

REVOLTE AU PENSIONNAT
de
Jane Trahey

DES PRESSES DE GÉRARD & C°,
65, rue de Limbourg, Verviers (Belgique)

marabout
mademoiselle

marabout
mademoiselle

marabout
mademoiselle

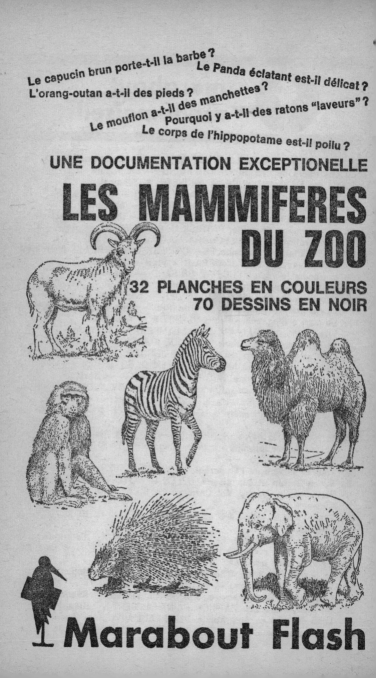

Le capucin brun porte-t-il la barbe ? Le Panda éclatant est-il délicat ?
L'orang-outan a-t-il des pieds ?
Le mouflon a-t-il des manchettes ?
Pourquoi y a-t-il des ratons "laveurs" ?
Le corps de l'hippopotame est-il poilu ?

UNE DOCUMENTATION EXCEPTIONELLE

LES MAMMIFERES DU ZOO

32 PLANCHES EN COULEURS
70 DESSINS EN NOIR

Marabout Flash